CW00859087

Агнєшка Мєлех

ЕМІ і Таємний Клуб Супердівчат

На сцені

Намалювала

Магдалена Бабінська

Переклала з польської

Дзвінка Матіяш

Львів
Видавництво Старого Лева
2020

УДК 821.162.1-31
М47

Cover, title pages and illustrations:
Magdalena Babińska

Агнєшка Мєлех

М47 Емі і Таємний Клуб Супердівчат. На сцені [Текст] : повість / Агнєшка Мєлех ; пер. з пол. Дзвінки Матіяш. — Львів : Видавництво Старого Лева, 2020. — 176 с.

ISBN 978-617-679-806-4

«Емі і Таємний Клуб Супердівчат. На сцені» — третя книжка з серії польської письменниці Агнєшки Мєлех про допитливу дівчинку, яка обожнює таємниці.

Ворожіння на день святого Андрія справджується! Емі, Флора та їхні батьки їдуть до Італії. Там вони знайомляться із красномовним Лючано й довідуються про таємницю одного театру. Повернувшись із мандрівки, дівчата записуються до театральної академії.

У день їхнього великого дебюту все йде не за планом! Прем'єра вистави «Чарівник країни Оз» повисла на волосинці... Чи встигне Таємний Клуб Супердівчат врятувати виставу? І яка незвичайна помічниця стане дівчатам у пригоді?

УДК 821.162.1-31

ISBN 978-617-679-806-4 (*укр.*)
ISBN 978-83-280-1120-5 (*пол.*)

Для Басі,
щоб завжди любила Доротку

Хто є хто

Емі

Тато Емі

Мама Емі

Шоколадка

Пан Звендли

Флора Звендли

Лаура Звендли

Франя Мілано

Лючано Мілано

Фабіано Мілано

Фаустина

Фелек

Луцек

Маестро Флавіо

Анела

Пан Чорний

Лілія

Фіалка

З ТАЄМНОГО ЩОДЕННИКА ЕМІ

Привіт! Я давно нічого не писала у Таємному Щоденнику. Кілька останніх тижнів він лежав самотньо під столом у моїй таємній базі. Але мені є що сказати на своє виправдання. Бо у цей час я займалася важливими справами. Було стільки метушні! Я пішла до школи (нарешті!). Мусила звикати до мого класу і нової вчительки. На щастя, Анєла вчиться разом зі мною. Ми не сидимо за одною партою — ну, хіба зрідка. Наша вчителька щотижня нас пересаджує, щоб ми всі перезнайомилися. Фау і Флора теж навчаються в цій школі, але вони вже у старших класах. Отож у нашій школі вчиться весь Таємний Клуб Супердівчат! Ну, майже весь. Б'янка і Лена, що вступили до Клубу, ходять до школи в зовсім іншому районі міста.

Немає також Алана, Михася і Франека.

У Таємному Клубі все добре. Перед канікулами ми розгадали нову загадку. У нашій школі зникла папуга. І не просто собі папуга, а папуга, що вміє розмовляти! Базіка жила у шкільному звіринці в сараї. Її вдалося знайти з допомогою Констанції, яка вчила мене малювати. Виявилося, що шкільна папуга потрапила до нашої вчительки іспанської — та визнала, що Базіка була їй дуже потрібна. Пані Фламенко хотіла допомогти іншому папужці – Чистодзьобові. Боялася, що школа не згóдиться позичити їй папугу, тому просто взяла птаху до себе на якийсь час.

Навесні, тобто вже незабаром, Базіка повернеться до шкільного звіринця. Ура! А ми познайомимось зі всіма тваринами, що там мешкають. На зиму пан Огіркевич переселив їх до зоомагазину, з яким приятелює. Там тваринкам добре й тепло.

От і все! Читайте мої записи! Тут буде багато цікавих і ТАЄМНИХ новин.

НАБЛИЖАЄТЬСЯ РІК КОНЯ. ШОКОЛАДКА НЕ ХОЧЕ РОЗМОВЛЯТИ ЛЮДСЬКИМ ГОЛОСОМ

День почався так самісінько, як завжди. А це ж було 31 грудня! Останній день року, який має бути особливий і незвичайний! Тож я чекала, щоб сталося щось не таке, як завжди.

— Рік пролетів — оком не встигли змигнути! — повторював тато, що ходив туди-сюди від вікна до вікна. — А світ такий самий, як дванадцять місяців тому.

— Не зовсім, — озвалася мама. — Ця зима без снігу.

За мить вона додала ображеним тоном:

— І вже котрий рік поспіль ми не йдемо на новорічний бал! Так що маєш рацію. Усе як завжди!

— Ходити на новорічні вечірки — це викидати гроші на вітер, — мовив тато і встромив носа у новий журнал про будинки, який приніс вранці з крамниці.

Запала тиша. Я вирішила обірвати мовчанку, бо по-справжньому хотіла сьогодні чогось надзвичайного, тож вигукнула:

— А в нас є феєрверки! Можемо їх пускати! Буде гарно!

Відразу озвався тато:

— Прийдуть Звєндли. Емі чемно пограється з Флорою. Ми зіграємо партійку у румікуб, — і потер руки, наче розминаючи їх перед грою.

— То нам, виходить, чемно гратися? — аж зойкнула я. — В останній день року?!

— Я думав, що ви пограєтесь в отой ваш Таємний Клуб, — пояснив тато.

— Таємний Клуб — це не гра! Таємний Клуб діє насправді! — закричала я. — Ніхто мене не розуміє, — поскаржилась я на вушко Шоколадці, що жила у нас від початку свят.

Раптом мені спало на думку щось суперцікаве.

— А Шоколадка сьогодні розмовлятиме людським голосом? — спитала я з надією. — Тоді хоч хтось мене зрозуміє.

Тато здивовано звів брови.

— В останній день року? Тварини можуть говорити людським голосом хіба що на Святвечір!

— О-о-ох, — зітхнула я.— Шкода, що ми не поговорили з Шоколадкою на Святвечір!

— Це легенда, — пояснив тато. — Звірі не розмовляють людським голосом.

— Ой, як прикро... — я була геть пригнічена. — Але за рік я все одно спробую побалакати з Шоколадкою. Вона точно знає, що Таємний Клуб діє насправді!

Шоколадка, почувши своє ім'я, зірвалася з підлоги і почала лизати мені ноги.

Яка ж вона гарнюня!

Ми подалися до моєї кімнати. Я вирішила, що буду дуже пильна і шукатиму нову таємницю. Покажу всім, що Таємний Клуб — це не якась там гра.

Я випорпала з таємної бази мій клубний значок. Ніжно поглянула на нього і причепила на грудях. Щоденника я теж дістала. Буду у вільний час щось у ньому записувати.

Повернулася до батьків у повному спорядженні. А Шоколадка подріботіла за мною.

— Якщо новорічний бал у нас удома, то берімося до роботи! — вигукнула бадьоро мама.

І поклала перед собою аркушик із записами.

— Тут у мене план балу, — промовила вона.

Ми з татом втупились у неї.

— План? — пробелькотів тато. — А що, сьогодні теж конче треба планувати? Я думав, що ми собі просто посидимо...

— В останній день року? — здивувалася мама. — Звєндли підготували костюми! За кілька годин вони переступлять наш поріг, одягнені як люди з майбутнього! А ми їх зустрінемо в капцях і розтягнутих светрах!

— А їхні костюми з наскільки далекого майбутнього? — зацікавився тато, пропустивши повз вуха зауваження про розтягнуті светри.

Мама примружилась:

— Цього я не знаю. Але треба поставитися до завдання з усією відповідальністю. Наше гасло — «СВІТ ЧЕРЕЗ СТО РОКІВ».

Мама миттю приволокла чималий мішок і висипала з нього усе посеред кімнати. А там чого тільки не було: клапті тканини, сувої срібної фольги, картонні коробки, кольорові целофанові пакети й святкові прикраси. Одним словом — найпотрібніші речі.

— Егей! Це завдання для архітектора! — загорівся тато.

— Я виготовлю знак, який Таємний Клуб Супердівчатноситиме за сто років! — урочисто сповістила я.

І кинулася на гору скарбів. Шоколадка скочила за мною, метляючи хвостом на радощах. Ми вдвох борюкалися серед тканин і фольги. Мені видавалося, що я на космічному кораблі!

Тато спопелив нас поглядом. Мама, яка вже з усім змирилася, мовчки поглянула на нас, стенула плечима і вийшла до кухні.

— Поводьмося чемно, — шепнула я псові. Зрештою, це ж мав бути незвичайний день.

Ми виборсалися з-під купи мотлоху. Я обтрусила себе й Шоколадку від клаптиків, ниток і папірчиків. Шоколадці, яка гордо затиснула в зубах свою здобич — пожмаканий сріблястий пакет, це явно не сподобалося.

Причепурившись, ми сіли на підлогу. Я взялася відбирати зі стосу всякої всячини ті матеріали, які, можливо, знадобляться мені, аби виготовити знак: плівка, що світиться в темряві, прозора фіалкова пошарпана тканина — вона, здається, зветься органза, товсті нитки, картон і клей.

Десь за пів години мій знак був готовий! Звісно, літера «S» залишилась у центрі, але тепер її форма скидалася на блискавку. І вона була зображена на блискучому космічному кораблі. З корабля стирчали кіски (щоб було по-дівчачому!). А навколо я приклеїла кілька невеличких планет.

— Ф'ють! — тато аж присвиснув, побачивши мій новий космічний знак. — Хай живе Таємний Клуб! Він житиме навіть за сто років!

Почувши татові вигуки, до нас підійшла мама з горням чаю в руках.

Шоколадка насолоджувалася клеєм, який я не закрила. Тепер вона із запалом його лизала.

— Ми вже маємо частину костюмів! — тато продемонстрував щось на кштал шолома астронавта з картону й фольги. Я похвалилася своїм космічним знаком.

— Усе просто пречудове! — мама була в захваті. — А тепер моя черга!

Вона спритно відібрала в Шоколадки клей і запхала руку у гору всякої всячини.

— Мені треба було, щоб мене хтось добряче надихнув! — мама підморгнула мені, тоді обтрусила із себе клапті тканини, а я дивилася на неї, роззявивши рота.

Незабаром мама з татом дивовижним способом перетворили старий солом'яний капелюх у найчудернацькіший головний убір, який мені доводилось бачити. Капелюх був покритий товстою прозорою плівкою, оздоблений пластмасовими стаканчиками та перев'язаний стрічкою з моєї старої сукні в цяточку, яку я носила ще до школи. Спереду, на мій подив, також красувалася літера «S».

— Хай живе Таємний Клуб Супердівчат! — закричала я, схопивши це диво. І випередила маму: — Після нового року космічний капелюх буде наш!

— На кухню — кроком руш! — перебила мене мама.

Вона схопила татів шолом і, надягнувши його, потягнула нас до кухні, звідки линули все приємніші пахощі.

Виявилося, що тимчасове зникнення мами з поля бою мало багато спільного з цими пахощами... На плиті стояли каструлі й каструльки, в яких щось шкварчало й булькало.

На кухонному столі нас спокушали горішки, свіжі фрукти й сухофрукти, розкладені у різнокольорові тарілочки й піали. Звісно, були також покришені овочі. Мабуть, ті, про які мама каже, що вони екологічні. Терпіти їх не можу! Огірки, морква, перець і буряки!

Побачивши буряки, я скривилась. Зате тато залюбки поклав собі до рота цілу жменю, причому вдоволено бурмотів:

— Буряки-хрумтяки...

Мамі це не сподобалося.

— Накриваємо на стіл! І нічого не цупити!

Впоралися ми непогано. За чверть години все було готово. На наш стіл було любо поглянути. Миски, таці, тарілочки та інше начиння — усе це скидалось на кольорову мозаїку на білій скатертині.

Тато нетерпляче кружляв навколо столу, а біля нього — Шоколадка.

Гадаю, що їм обом кортіло буряків-хрумтяків.

— То яка у нас буде коронна страва? — врешті спитав тато.

— Китайська, — відповіла мама.

— Але ж китайський Новий рік настане тільки 31 січня... — тато щось засумнівався.

— Китайські страви їстимуть і за сто років, — відповіла мама. — Тому це чудовий вибір для нашої вечірки.

Я не озивалася, бо насправді я не фанатка всіх цих страв, мені й рису вистачить. Китайці їдять силу-силенну рису! А я рис обожнюю. Зрештою, Флора теж. До речі! А де це Флора з батьками?

А вони тут як тут! Барвистою вервечкою запливли до нашого помешкання.

Попереду ступала пані Лаура у сріблястій сукні і з макіяжем із блискітками. За нею — її чоловік в окулярах для плавання і пластмасових ластах на руках, а завершувала урочисту ходу Флора.

Мені перехопило подих!

На Флорі була найгарніша космічна сукня, яку мені доводилося бачити. Біла блискуча сукня зі шлейфом. Здавалося, що на її подолі звиваються змії! Я обережно доторкнулася до них (хоча й знала, що вони несправжні). Це були довгі пластикові трубки, прикріплені до пояса. І вони звисали аж до землі! А коли Флора крутилася, вони так гарно гойдалися! Така сама біла трубочка, вплетена у волосся, обвивала їй голову.

— Ти схожа... на королеву космосу! — видихнула я.

— Це тато таке вигадав, — гордо промовила Флора.

— Чудовий костюм! — похвалила мама.

Пан Звєндли, що був у нас рідкісним гостем, уже крутився з татом навколо столу.

— Монтажні трубки я сьогодні зранку купив у будівельному супермаркеті, — видав він таємницю уже з повним ротом.

Пані Звєндли також була біля столу. Ой, даруйте, Срібна Королева, бо так вона звеліла себе величати.

— Яка смакота, Юстусю! Бальзам для наших зголоднілих піднебінь! У нас зі самого ранку ріски в роті не було!

— Невже? — здивувалася мама.

— Ми весь день готували костюми. Хотіли справити враження на балі! — промовила пані Лаура, а Флора ще раз покрутилася — і трубочки з будівельного супермаркету розпочали космічний танок.

А пан Звєндли й далі балакав з повним ротом:

— Я ж казав, що треба взяти для цієї конструкції студента з політеху. Я там займаюся обчисленнями.

— І йому добре вдається, — змовницьки прошепотіла пані Лаура.

Порівняно з тим, що продемонструвала родина Звєндли, наші костюми були, м'яко кажучи, доволі скромні.

— Я зробила новий знак Таємного Клубу Супердівчат, — похвалилась я Флорі.

— Навіщо нам новий знак? — стенула плечима та.

— Щоб Клуб діяв навіть за сто років! — буркнула ображено я.

Костюми в нас ніякі, Флора — злюка, на вечерю будуть буряки, а Шоколадка не заговорить людським голосом! Теж мені особливий день! Тому проведу новорічний вечір у схованці. Врешті-решт я керівничка Таємного Клубу і можу ухвалити таке рішення.

Це все я записала у Таємному Щоденнику. І червоною ручкою підкреслила: ФЛОРА — ЗЛЮКА.

І тут вона якраз припхалася до кімнати.

— Зараз на стіл подають рис! Буде китайське їдло! — зарепетувала вона, шелестячи своєю космічною сукнею.

— Я не голодна, — буркнула я.

— Агов, твій знак справді крутий, — мовила раптом Флора. — Ідея супер!

— Та ясно, — пробурмотіла я. — Але такої космічної сукні в мене немає.

— Скажу тобі щось по секрету. Вона мені зовсім не подобається. Просто я не хотіла, щоб тато засмутився, бо він увесь ранок розшукував ці трубочки, — визнала Флора.

Цим вона мене трохи вмилостивила, тож я виповзла з-під столу.

— Ну добре, — згодилась я. — Ідемо їсти той рис. Хоча китайський Новий рік настане тільки 31 січня.

Флора здивовано зиркнула на мене.

— Як це? Я думала, що новий рік скрізь настає у той самий час.

Зненацька у дверях з'явився тато.

— Шоколадка радо умне ваш новорічний рис, — оголосив він. — А новий рік настає залежно від часового поясу. В Австралії його вже зустріли, а у Нью-Йорку він почнеться за шість годин після того, як у нас годинники проб'ють дванадцяту.

— А в Китаї? — вигукнули ми водночас.

— Це зовсім інше. Китайський Новий рік — це рухоме свято, його відзначають за китайським календарем. Цей рік буде роком коня, — пояснив нам тато.

Ми вибухнули сміхом.

— Як це — рік коня?

— А так, це символ. Ось зараз закінчується рік собаки. Кожна релігія має свої особливості.

Ми перезирнулися. Ох ці дорослі. Усе знають!

Тато повів нас до вітальні, де стіл уже вгинався від страв. Ми накинулися на таріль із гарячезним рисом.

— Скільки всякої смакоти! — мовила пані Лаура, прицмокуючи. — А ви їсте рис без нічого?

— Це за рік коня! — Флора підняла повну ложку рису, а я підтримала її.

Надійшла дев'ята година, до півночі залишилося лише три години. Після китайського бенкету тато ввімкнув музику — і почалися танці. Виявилося, що пан Звєндли чудово танцює. Він кружляв на паркеті не гірше, ніж трубки з будівельного супермаркету на сукні Фло!

— Звєндли знаменито танцює! — вигукнула захекана пані Лаура, коли вони дотанцювали шалений рок-н-рол. — Як у старі часи!

Мама тільки похитала головою. А тато вирішив, що й він не гірший, і потягнув її танцювати румбу! Але за кілька хвилин, накульгуючи, насилу доплентався до канапи.

— Моя кісточка! — скаржився він, тримаючись за ногу. — Юстусю, може, прикладемо компрес?

— У холодильнику є гель. Емі ним користувалася, коли зламала руку, — гукнула мама, яку якраз

крутив пан Звєндли у ритмі якоїсь жвавої мелодії.

«Відпусти... віііідпуууустиии», — лунало з колонок.

Тато з кислою міною пошкутильгав до кухні.

Ми танцювали аж до півночі. О дванадцятій вистрілило шампанське. А наше безалкогольне шампанське не вистрілило взагалі. Проте я охоче його випила, хоча не люблю газованих напоїв. Але ж починається новий рік!

А після цього ми подалися до парку дивитися на феєрверки. Було гарно. На небі виблискували незліченні візерунки! Тільки мама нарікала, що запускати феєрверки — геть неекологічно і що Шоколадка не витримає цієї стрілянини. Але Шоколадка взагалі нею не переймалася і спокійнісінько обнюхувала дерева в парку.

За годину ми повернулися додому.

І тоді пані Лаура попросила хвилинку тиші.

— Вельмишановні космічні прибульці! Хочу повідомити, що Звєндли приготував для нас величезну несподіванку. Ми їдемо до країни Великого Чобота!

Запала тиша.

Першою озвалась я:

— Тобто як до країни Великого Чобота?

— До Італії, Емцю! До країни моєї юності! Країни Леонардо да Вінчі, пармезану, кривої Пізанської вежі та Піноккіо, — відповіла розчулена пані Лаура. Й обняла мене так, що я не могла дихнути.

— Тобто як? Це ж видатки! — обурився тато.

— Звєндли назбирав якихось бонусів за всі авіаквитки, які купував. Він увесь час літає по світу. Тож ми вирішили так: якщо маємо додаткові квитки, їдемо з вами, — пояснювала пані Лаура.

— А готелі, харчування, відпустка... — сумнівалася мама.

— Усе можна вирішити. У Мілані живе Франя, моя приятелька зі студентських часів. Вона нас запрошує! — пояснила пані Лаура.

— Франческа! — поправив дружину пан Звєндли.

— Я з нею познайомилася тоді, коли вона ще була Франею, — буркнула ображена пані Звєндли.

Нарешті, після довгої наради, ми вирішили, що приймаємо запрошення.

— Проте мусимо дещо з'ясувати. Безперечно, ми захочемо вам віддячити. Ну, може, не вийде запропонувати щось аж настільки особливе, але щось придумаємо! — пообіцяв тато.

Ми з Флорою аж підскакували на радощах. А крім того, виявилося, що Флора з батьками залишаться у нас ночувати!

— Круто й пречудово! Круто й пречудово! — скандували ми, аж поки батьки не позаганяли нас у ліжка. Точніше, на матрац. Бо ми спали на величезному надувному матраці. Ну зовсім як у поході! Шоколадка лягла на порозі — і звідти відразу почулося хропіння.

Флорі теж багато не треба було: тільки-но вона поклала голову на подушку, як уже спала.

А я, перш ніж заснути, збагнула: те, що я собі наворожила на день святого Андрія, починає здійснюватися.

Це був незвичайний останній день року! А який буде новий рік?

ПАНІ ЗВЄНДЛИ ПЕРЕВДЯГАЄТЬСЯ У ТУРОНЯ. ЛОЛ!

Цього року святкові канікули тривали дуже довго. Правду кажучи, я вже почала сумувати за школою і за нашою вчителькою. Таємний Клуб втратив пильність і дотепер не знайшов жодного сліду якоїсь нової таємниці.

— Як нудно! — промовила Флора, позіхнувши, коли ми по обіді зустрілися. — Цікаво, як там Анєла?

— Анєла поїхала до бабусі, а Фаустина в горах, — поінформувала її я.

— Із рудим? — спитала Фло.

— Цей рудий — її брат Франек. Він вчиться у 1-В, — пояснила я.

— Ясно. Ну, тоді я посплю, — Флора знову позіхнула і примостила голову на подушку.

Шоколадка тільки того й чекала: лягла собі на килимку біля ліжка й згорнулася клубочком. Точніше, клубком, бо ж вона не маленьке цуценя.

Проте за мить Флора пожвавилася.

— Може, телевізор подивимось? Як зветься отой серіал про музичну школу?

— «Феліція»*! — загорілась я. Це був мій улюблений фільм. Але відразу ж похнюпила носа: — Правда, мама буде не в захваті. На її думку, телевізор пожирає час.

— Агов! Ти ж керівничка Таємного Клубу! — вигукнула Фло. — Хочеш здатися?

— У телевізора немає таємниць, — відповіла я. — Проблема в тому, що коли його вмикаєш, то його видно й чути.

— Покажу тобі, як це робиться, — промовила Фло. Підвелася з мого улюбленого крісла, закасала рукави і потягнула мене до кімнати. Мама якраз працювала. Тобто сиділа за комп'ютером.

Флора прокашлялася. Нуль. Жодної реакції. Флора кашлянула вдруге. Потім утретє.

Мама відвела очі від ноутбука. Я уважно подивилася на неї. Вона була така... дуже далеко звідси.

— Ви сидите в інтернеті, — сказала Флора.

---

* Цей серіал і його героїню вигадала авторка книжки, надихнувшись серіалом «Віолетта», який транслювали на каналі Disney Channel. — *Прим. пер.*

Мама переполошилася.

— Ні-ні... — пробурмотіла. — Ну, може трохи. Треба ж розслаблятися, скільки можна працювати.

— Авжеж. Зараз же святковий час, — підхопила Флора. — Ми з Емі так напружено працювали у минулій чверті. Так само, як ви, — додала вона.

— Атож, у школі купа роботи, — погодилася мама. — Я також дещо про це знаю, бо й сама була дитиною.

— Ми би теж могли розслабитися, — Флора розвела руками. — Може, ви нам ввімкнете телевізора? Ми хочемо переглянути фільм про музичну школу.

— Про музичну школу? — зацікавилась мама.

— Так. Сьогодні там буде про підготовку до концерту.

— Щось я такого серіалу не пам'ятаю. Емі, ми його знаємо? — спитала мене мама.

— Мммм, — муркнула я... — це ота... ну, знаєш, «Феліція», — випалила я, не сумніваючись, що мама й чути не захоче про те, щоб ми подивилися телевізор.

Мама ліниво потягнулася.

— Щось таке я чула. Гаразд, дівчата, дивіться, тільки не дуже довго. Телевізор пожирає час!

Мене заціпило. Хвилину-другу я стояла, роззявивши рота, і дивилася на Фло.

І як їй це вдається?

— Тепер ти бачиш, як треба залагоджувати такі справи! — прошипіла вона мені на вухо, тріумфуючи, коли ми підстрибом бігли вмикати телевізор.

Коли ми вже наситилися новою серією «Феліції», переглянувши її від початку до кінця, у помешканні з'явилася пані Лаура.

— Юстусю, ти не уявляєш, скільки часом треба намучитися, щоб зарезервувати гарні квитки! — проказала ще з порога.

Мама навіть голови не підвела з-над комп'ютера.

— Мама розслабляється, — пояснила я пані Лаурі, що з німим запитанням заглядала до кімнати.

— Сидить в інтернеті! — заверещала Фло.

— Ага, ясно, — сказала пані Лаўра. — Це часом потрібно.

Тоді мама врешті отямилась і привіталася з нею, ніби й нічого не сталося:

— О! Ти вже? Вдалося щось залагодити?

— Я зарезервувала квитки на літак, — відповіла пані Лаура.

— Ой! — пропищала я. — То ми полетимо літаком? Аж до самої Італії?

— Ні, шматок дороги поїдемо на велосипедах, — дошкульно мовила Флора.

Пані Лаура гнівно на неї глянула і підтвердила:

— Так, справжнісіньким літаком!

Потім обняла мене так, що мені знову перехопило подих.

— Я ніколи не літала літаком! — шаленіла я від хвилювання. А деякі дівчата з нашого класу літали, та ще й по кілька разів!

— Емі, ми летимо щойно за кілька днів. Усе тобі пояснимо. А тепер хочу вам щось запропонувати. Ви можете стати колядниками! Незабаром свято Трьох Царів*, а потім їдемо до Італії. Якраз пора!

Флора обурено вигукнула:

— Навіть говорити про це не хочу! Терпіти не можу колядників! Ти ж сама казала, що вони ходять по хатах із потворами!

— Із потворами? — здивувалася пані Лаура. — Я казала про туроня**!

Мама відірвалася від комп'ютера й промовила:

— Колядування — це чудова народна традиція.

— А хто такий отой туронь? — зацікавилась я. А Флора показала мені язика.

Мама, й оком не змигнувши, пояснила:

— Туронь — це опудало, що клацає зубами, дуже миле й симпатичне. Наші предки вірили, що воно

---

* Свято Трьох Царів, або Богоявлення, відзначають у Польщі 6 січня. — *Прим. ред.*

** Ту́ронь — волохате чорне страховисько з рогами тура, у якого перевдягалися учасники різдвяних обрядів у Польщі — *Прим. пер.*

наділене чарівною силою і символізує відродження землі.

Флора знову скривилася.

А я далі розпитувала:

— А колядникам дають гроші?

Мама замислилась і врешті промовила:

— Є такий звичай, що колядникам дарують дрібні гроші чи солодощі. Але не гроші у колядуванні найважливіші. Найцінніше те, що ми колядуємо разом і не забуваємо про цю традицію. А крім того, вертеп готовий. Хіба можна, щоб він марно простояв у кімнаті?

І саме тоді я згадала, що наш вертеп — тут поряд, у вітальні. Ми приготували його з мамою і татом на шкільний конкурс. Але наш вертеп не отримав нагороди. Він був надто сучасний. Інші вертепи були дерев'яні, із солом'яними стріхами. А наш мав вигляд земної кулі з фотографіями міст, де стояли різні вертепи.

Мама поставила наш вертеп на столі.

— Дуже оригінальний, — оцінила наше творіння пані Звєндли. — Він не може не сподобатися! А ви будете ангелами!

Набурмосена Флора процідила:

— Одна умова: ти будеш туронем.

— Залюбки, — відповіла пані Лаура.

Мама спритно виготовила для нас костюми ангелів з простирадл та ялинкових прикрас. На спину пані Лаури накинула старий коцик, а на голову їй прикріпила картонний писок і роги.

— А ти? Ким будеш ти? — спитала я.

— А я буду вашою менеджеркою. Переконуватиму сусідів, щоб пускали вас до себе додому, — весело відповіла мама.

— У тебе, Юстусю, найкраща роль! — засапано проказала пані Лаура з-під картонного писка. — Починаймо вже, бо туронь не витримує від нетерплячки і йому нічим дихати!

Ще тільки треба пригадати колядки. Ми вирішили, що заспіваємо «У Вифлеємі нині новина» і зимову пісеньку «Сніг іде, сніг іде, дзвоники дзвенять» на мелодію «Джинґл белз».

Ми обійшли помешкання всіх наших сусідів, алс застали лише родину Чапель, батьків Луцека з першого поверху.

Вони були у захваті від нашої ідеї. Ми отримали десять злотих на всіх (наші мами відмовилися від своєї частки) й шоколадку. Мама Луцека пригостила нас налисниками з домашнім полуничним варенням! НЯМ-НЯМ! Наші веселощі у сусідів потривали з годину.

Я давно не бачилася з Луцеком. Останнього разу — у школі, коли вирішувалася доля Базіки. Він тоді допоміг нам підготувати танець фламенко!

А тепер ми сиділи собі втрьох у нього в кімнаті. Тут було безліч споруд із конструктора «Леґо». На стіні висіли плакати з перегоновими автомобілями.

— Ти фанат гонок! — ствердила Флора, роздивляючись стіни. — У тебе зовсім немає фоток футболістів!

— Я люблю автоперегони. І, звісно, всякі інші змагання, — погодився Луцек.

— А Франек любить футбол. Ну зовсім як я, — сказала Флора й зітхнула.

— Хто такий Франек? — зацікавився Луцек.

— Мій найкращий друг, — пояснила Флора. — Його тато — професор фізики!

Луцек схвально закивав головою.

— Я хочу стати інженером. Або архітектором. Як тато Емі, — сказав він.

— То ти не хочеш бути пожежником? Або футболістом? Як усі хлопці? — здивувалася Фло.

Луцек анітрохи не збентежився й відповів:

— Ні. Хочу займатися чимось іншим. Тим, що мене по-справжньому цікавить.

— Знаєш, славетним людям, таким як професор Каґанек, тобто Франеків тато, зовсім не просто живеться, — просторікувала Флора далі. — Його переслідували злочинці! Він врятувався тільки завдяки нам, дівчатам із Таємного Клубу Супердівчат!

Круто! Флора нас здала! Та ще й кому! ХЛОПЦЕВІ!

Луцек наморщив лоба. Я уважно спостерігала за ним. Гадаю, що він дуже напружено над чимось розмірковував.

Нарешті озвався:

— Десь я чув цю назву... Таємний Клуб Супердівчат... зараз... зараз...

— Е-е-е-е... Ну, знаєш, це Флора просто так сказала... Який там клуб? Та ще й таємний? — я намагалася відійти від небезпечної теми.

— Авжеж! Знаю! — Луцек раптом зірвався на ноги і побіг до кухні, вигукуючи: — Мамо! Мамо! Де той лист для Таємного Клубу Супердівчат?

За мить він повернувся і вручив нам... ЛИСТА!

Я взяла конверт до рук і обережно оглянула його з усіх боків. Так, це був найсправжнісінький лист, адресований Таємному Клубові Супердівчат!

Мовчки дала його Флорі.

Флора запитально глянула на Луцека.

А я замислилася над тим, що ж нам тепер робити. Отак просто розкрити йому таємницю?

Луцек тим часом пояснював, що й до чого:

— Ми його знайшли у нашій скриньці. Ще перед Новим роком. Лист адресовано якомусь таємному клубові, але номер помешкання був наш. А на печатці видно, що він з Америки.

Флора прокашлялась і мовила:

— Мабуть, це нам.

— То ви таємний клуб? — здивувався Луцек. — Але ж Емі сказала, що ніякого таємного клубу немає.

— Ми тобі пояснимо. А зараз маємо прочитати листа.

Флора обережно відкрила конверт. Вийняла звідти аркуш паперу, старанно розгорнула його і почала читати:

Привіт, Супердівчата з Таємного Клубу!

Пишу до вас, бо хотів би довідатися, як ваші справи? Чи Таємний Клуб ще діє? Якщо так, то він, мабуть, розгадав уже не одну загадку! Як ваші успіхи в школі? Я вже все знаю із програми другого класу. Тут, в Америці, діти менше вчаться, ніж ми. До речі, хочу вам сказати, що ми з татом ПОВЕРТАЄМОСЯ до Польщі! Вітання Фло! Незабаром побачимося! ЛОЛ.

— ЛОЛ? Яке Лол? — здивувалась я.

— ЛОЛ* англійською означає «голосно сміятись» або «багато любові», — втрутився Луцек.

Я опустила очі, бо, здається, стала вся червона. Луцек говорив при мені про ЛЮБОВ!

— Звідки ти це знаєш? — пробурчала Флора, стискаючи листа в руці.

— Дівчата з нашого класу постійно кажуть «ЛОЛ», тому я просто подивився в інтернеті, що це означає. Звідти й знаю, — відповів Луцек.

— Ну й нехай. Це не має значення. Франек повертається, — сповістила Флора. — Це найпрекрасніша новина у світі. Прекрасніша, ніж поїздка до Великого Чобота і рік коня!

Луцек був геть збитий з пантелику. Переводив погляд то на мене, то на Флору.

— Мушу летіти додому, — раптом сказала Флора і вибігла з кімнати.

Тепер спантеличена була я, але подалася за нею, а Луцек побіг за мною.

У передпокої Фло висіла на шиї у своєї мами, розтовкмачуючи їй, що сталося.

---

* ЛОЛ (англ. *LOL*) — вислів, що спершу вживався в інтернеті, а потім його стали використовувати і в розмовній мові як скорочення від *laugh out loud* — «голосно сміятися», найчастіше коли хочемо підкреслити, що нас щось дуже розвеселило. Може також означати *lots of love* — «багато любові».

— Ой, як чудово, Флоронько! Професор — незвичайна людина. Хіба ж не прекрасно, що він повертається на батьківщину? — зраділа пані Лаура.

— Може, у нього тільки коротка відпустка, — заспокоювала її моя мама.

— Зараз йому зателефоную, — гарячково мовила пані Лаура. — А щоб його! Він ще може бути на роботі, бо ж в Америці зараз на шість годин раніше, ніж у нас!

Зчинивши гармидер, обидві блискавично зібралися і кулею вилетіли з помешкання Чапель.

— Ваші куртки у нас нагорі! — нагадала їм мама.

Ми також мали повертатися додому — тим паче, що вже за кілька днів полетимо до Великого Чобота, тож треба було збиратися.

Коли ми виходили, Луцек відтягнув мене вбік і спитав:

— То Таємний Клуб все-таки існує?

— Сам маєш з'ясувати, — усміхнулась я загадково, розвернулася і побігла за мамою нагору.

Зрештою, хлопцям не треба про все знати!

Ми вирушаємо підкоряти великий Чобіт

Нарешті настав цей день! Точніше, настала ця ніч. Можна сказати, це був ранній ранок. Дуже-дуже ранній. Напхані валізки вже стояли в коридорі. Мої м'які іграшки — Псючка з великими сумними очима й плюшеві Мумі-тролі — чемно сиділи у наплічнику. Нехай трохи подивляться на світ! Мій Таємний Щоденник також вирушає у мандри. Тато з мамою ходили туди-сюди, перевіряючи, чи вимкнули світло, чи закрутили крани і чи ми взяли все, що потрібно.

— Ви їдете тільки на чотири дні, — сміялася з них тітка Юлія, що вчора повернулася з подорожі і якраз прийшла по Шоколадку.

Шоколадка зовсім не квапилась повертатися. У нас їй було так добре!

— Шоколадочко, моя гарнесенька! Ти будеш за мною сумувати? — шепотіла я на вухо песикові, обіймаючи його. — А тепер тобі треба йти додому, бо я їду до Великого Чобота!

— Усе під контролем! — запевнила мама. — Можемо рушати. Таксі вже чекає.

Тато кинувся до валізок, але відразу... зігнувся під їхнім тягарем, бурмочучи:

— Я думав, що ми їдемо на чотири дні!

Ми залізли у таксі. Шоколадка помахала нам хвостиком на прощання, тітка Юлія послала повітряний поцілунок. Вирушаємо підкоряти Великий Чобіт! Коли ми добралися до аеропорту, все було так само, як тоді, коли ми проводжали маму на літак до Лондона. Не було тільки професора Каґанека! І зливи не було.

Ми вибралися з таксі. Надворі було прохолодно, я відчувала легкий морозець.

— Чудова погода для подорожі! — зрадів тато. — Видимість буде ідеальна.

У залі відльотів ми підійшли до телевізорів, розміщених у центрі. На них висвітлювалися години, міста й купа якихось цифр.

— Що означають ці номери у телевізорах? — спитала я.

— На моніторах висвітлюються напрямки і номери рейсів, коди авіаліній і номери виходів, з яких відбуваються вильоти, — пояснив тато.

— Як багато всього! — пробурмотіла я.

— Наш аеропорт обслуговує майже одинадцять мільйонів пасажирів на рік, — додав тато.

— І він не такий вже й великий! — підхопила мама. — Найбільший аеропорт у Європі — це лондонський «Гітроу». Сімдесят мільйонів на рік!

— Справді? — очі у мене стали як блюдця. Я навіть не могла собі уявити, скільки це — сімдесят мільйонів!

Тато схвально похитав головою і додав:

— А найбільший аеропорт у світі — «Атланта» в Америці! Дев'яносто п'ять мільйонів пасажирів на рік!

— Ми що, змагаємося, хто ліпше знає, скільки пасажирів в аеропортах? — поцікавилася мама.

— Я називаю факти! А тепер ходімо на реєстрацію, — запропонував тато.

Ми підійшли до стійки номер 261, за якою стояла жінка, одягнена в темно-синій костюм. Вона попросила наші документи.

Тато подав свій і мій паспорти.

А мама тим часом нервово порпалась у торбинці.

— Ви подорожуєте разом? — жінка подивилася на маму. — Будь ласка, ваш паспорт.

Мама присіла і висипала все, що було в торбинці, на блискучу підлогу.

Усі ми, разом із жінкою в костюмі, занепокоєно втупилися у неї. А вона, ще трохи пошукавши паспорт, зашарілася і засоромлено сказала:

— Але якщо у мене немає паспорта...

Жінка здивовано підняла брови, тато сів на валізку. Тільки я, зберігаючи спокій, запитала:

— А де ти тримаєш документи, мамо?

— У гаманці. Мабуть, він залишився на столі вдома, — простогнала вона.

— Наступний! — оголосила тим часом жінка у темно-синьому костюмі, а нам довелося вийти з черги.

Ми влаштували швидку нараду. До вильоту в нас залишалася ще година і сорок хвилин.

— Ти повертаєшся додому, береш зі столу гаманець і на тому самому таксі мчиш назад в аеропорт, — запропонував тато.

— А якщо не встигну? — допитувалася з відчаєм мама.

— Мамо, спокійно, у тебе багато часу! Я могла би написати два тести у школі! Або подивитися дві серії «Феліції»! Або занотувати щось на двох сторінках у моєму Таємному Щоденнику, — заспокоювала її я.

У тата зродилася інша думка.

— Що ж, у крайньому разі полетимо самі.

Мама злісно на нього глянула і помчала до стоянки таксі.

Задзвонив татів телефон.

— Алло! — хрипло відповів тато. — А, це ти, Лауро? Привіт! Юстина не відповідає? Та нічого особливого, вона якраз іде по свій гаманець додому. Ви вже пройшли реєстрацію? Так, зустрінемося в літаку.

Тато завершив розмову і підморгнув мені.

— Стільки проблем з одним ворожінням на Андрія! На щастя, Лаура завчасно зарезервувала нам місця. Ми сидимо в економкласі, відразу за бізнес-класом.

— Бізнес-клас? Що це таке? — спитала я.

— Люди, які хочуть летіти у зручніших умовах, можуть купити дорожчий квиток у бізнес-класі. Там зручніші крісла і більше місця. Ну, і їжа краща, — пояснював тато.

— Здається, це несправедливо, — трохи поміркувавши, сказала я.

— Уяви собі людей, що дуже часто літають. Це частина їхньої роботи, — пояснив тато. — Їм краще, якщо вони можуть собі дозволити подорожувати з більшим комфортом.

— А наша подорож буде з меншим комфортом? — здивувалась я.

— В економкласі на коротких маршрутах дуже приємно, — заспокоїв мене тато. — Наш політ триватиме дві з половиною години. Пограємо у щось, почитаємо книжки.

— А я не брала книжок, — відповіла я хитро. — Гратиму в ігри на телефоні!

Тато уважно подивився на мене і сказав:

— Золотце моє! Ти знаєш, що я фанат ігор. Але що вдієш, у світі є не тільки ігри. Книжки розвивають нашу уяву. Взимку запросто можу собі уявити, що я опинився далеко-далеко в тропіках! І мені не потрібні для цього ані телефон, ані телевізор. Тільки трохи слів! Тому в кожну подорож ми беремо книжки. І про тебе теж не забули.

Тато вийняв з наплічника книжку. Вона була досить велика, але не затонка і не затовста.

Я взяла її в руки і повoлі прочитала: ПІНОККІО*.

— А я знаю, хто такий Піноккіо! Бо я бачила фільм! — вигукнула я.

— У тебе є чудова нагода переконатися, скільки всього творці фільму змінили в історії, про яку йдеться у книжці. Ми взяли книжку про Піноккіо, бо він з'явився в Італії, причому сто тридцять років тому! — відповів тато.

— То, виходить, Піноккіо такий старий? — здивувалась я.

— Але все одно чудовий, хіба ж ні?

---

* Піноккіо — дерев'яна лялька, що хотіла стати хлопчиком; герой дитячої повісті італійського письменника Карло Коллоді.

Ми ще трохи порозмовляли про дерев'яного Піноккіо, чекаючи на маму. Я тримала кулаки, щоб усе було добре. Ну нарешті...

— Дивіться, дивіться, хто це до нас повернувся? — вигукнув тато.

До нас поспішала мама, стискаючи в руці свого червоного гаманця.

— Знайшла! Знайшла! Їду з вами! — тріумфально вигукувала вона.

Ми бігом подалися на реєстрацію. Жінка у темно-синьому костюмі неприязно зиркнула на нас і простягнула руку по документи.

Тато поклав на транспортну стрічку валізку, її обклеїли, і вона кудись поїхала.

— Куди ділася наша валізка? — занепокоїлась я.

Жінка у темно-синьому костюмі вручила нам квитки й спитала:

— Уперше летимо літаком?

— Це наша маленька таємниця, — мама підморгнула, взяла мене за руку, і ми знову кудись помчали. Зупинилися в кінці довжелезної черги. Біля віконечка, де сидів добродій у формі, ми знову показали документи. Черга рухалася поволі, й нарешті ми добралися до тунелю.

— Ми маємо туди заїжджати? О ні! — я відчула, що мене беруть дрижаки.

— Ми ні, а наш ручний багаж — так, — заспокоїв мене тато.

Ми поклали куртки й сумки у спеціальні ящики, що, лежачи на стрічці, помандрували прямісінько вглиб тунелю.

Маму попросили дістати із сумки комп'ютер, з яким вона ніколи не розлучається. Також їй довелося роззутися. Вона одягнула на ноги целофанові бахіли і пройшла через рамку. За нею пройшла я. Чоловік, що стояв біля рамки, погладив мене по голові, а я забрала зі стрічки свого наплічника.

— Мої м'якенькі друзі! Ви знову зі мною, — прошепотіла я, притискаючи наплічника до себе, й побігла до мами. Вона якраз скидала фіалкові бахіли і взувала свої чобітки.

Зате тато поки що не міг до нас приєднатися. Вже кілька хвилин він стояв, розвівши руки, а чоловік у формі його ретельно обшукував.

— Мамо, а що татко зробив?

— Сподіваюся, що нічого! — засміялась мама. — Дивись, інших пасажирів також обшукують. Коли тато проходив через рамку, вона виявила, що в нього є якийсь металевий предмет. Може, у паску від штанів? І тому тата тепер перевіряють. Це для безпеки.

Коли чоловік біля рамки нарешті відпустив тата, я кинулася до нього.

— Нарешті! — я міцно-преміцно його обіймала.

Тато підняв мене на руки й вигукнув:

— А тепер нам прямісінько до Великого Чобота! У нас небагато часу.

— Пасажирів Юстину Ґацек, Якуба Ґацека і Станіславу Ґацек запрошуємо до виходу номер одинадцять, — почула я.

Хапаючи повітря, ми нарешті добралися до місця, де біля стійки нас чекала жінка у темно-синьому костюмі.

— Запізнюємося! Ваші квитки. Документи! БУДЬ ЛАСКА!

Ми швиденько показали наші квитки й документи. Потім зайшли у ще один тунель, що вів прямо до літака. На вході нас привітали усміхнені жінки і попросили зайняти свої місця.

Коли ми протискалися крізь вузький прохід між сидіннями, я побачила, що подружжя Звендли і Флора вже сидять у кріслах.

— Юстусю! Нарешті! Усе добре скінчилося! — побачивши нас, пані Лаура зірвалася з сидіння й обійняла маму.

— Займіть, будь ласка, свої місця. Зараз будемо злітати, — попросила нас одна з усміхнених жінок.

Виявилося, що наші місця якраз за місцями родини Звєндли.

Сівши, ми пристебнули паски, схожі на ті, що в автомобілі. Знову з'явилися милі жінки й стали пояснювати, як поводитися в разі аварії літака. Врешті попросили вимкнути телефони.

— Нащо вони все це розповідають? — спитала я.

— Це стюардеси. Найважливіші люди на борту після капітана, — пояснила мама.

Я замислилася. Відколи ми приїхали в аеропорт, нас увесь час хтось перевіряв і щось нам пояснював.

— Дивне місце цей аеропорт, — сказала я. — Тунелі, контроль, жінки в костюмах... І нічого не можна!

— Це все для того, щоб ми безпечно долетіли, куди нам треба, — пояснив тато.

У літаку вимкнули світло. Стюардеси сиділи у своїх кріслах, також пристебнувшись пасками. Раптом літак зірвався у повітря. Я відчула, що якась невидима сила тягне нас догори.

— Супер, Емко, летимо! — запищала Флора з крісла переді мною.

— Круто! — вигукнула я.

Літак підіймався все вище й вище. Нарешті оголосили:

ГАЗЕТКА

— Ми досягнули висоти, на якій здійснюватиметься наш політ. Капітан вимкнув сигналізацію «Пристебнути ремені безпеки». Для вашої безпеки пропонуємо залишати їх пристебнутими під час усього польоту. Уже за кілька хвилин почастуємо вас холодними напоями і солодощами.

Одна зі стюардес підійшла до нас і опустила шторку, що була за кріслами родини Звєндли. Нас відрізали від них.

— Чого Флора сидить за цією завісою? — обурилась я.

— Тому що там бізнес-клас, — пояснила мама.

— Ага, це там, де більший комфорт, — промовила я із розумінням справи.

Отож ми сиділи за шторкою, сьорбали соки й хрумали солодкими батончиками. Я вийняла з наплічника Таємний Щоденник, щоби записати свої враження від нашої мандрівки.

Я встигла тільки записати «Ми летимо до Великого Чобота», коли хтось знову озвався у гучномовець:

— Говорить капітан. Вітаю вас на борту літака до Мілана. Зараз ми пролітаємо над Чеською Республікою, потім полетимо над Австрією прямо до Італії. До місця призначення прибудемо о 8:30. Наш політ триватиме дві години п'ятнадцять хвилин.

У Мілані гарна погода для посадки, температура три градуси за Цельсієм, вітру немає.

— Звідки він усе це знає? — здивувалась я.

— На те він і капітан, — відповів тато й додав: — О капітане, мій капітане!*

І тут літаком затрусило.

Капітан обізвався знову:

— Шановні пасажири, ми пролітаємо зону незначної турбулентності. Застебніть, будь ласка, ремені безпеки.

Я перелякано схопилась за мамину руку.

— Якої ще турбулентності?

— Уяви собі, що ми їдемо дорогою з вибоїнами. А потім вискакуємо на гладеньку асфальтовану трасу. Так само і на літаку, — відповіла мама і ще міцніше стиснула мою руку, бо літаком увесь час трусило й трусило.

— Але звідки береться та турбулентність? — не відступала я.

— Турбулентність виникає у тих місцях, де ми стикаємось із потужними повітряними масами — наприклад, над горами. Або тоді, коли повітряні маси різко переміщаються — скажімо, перед

---

* «О капітане, мій капітане» — вірш американського поета Волта Вітмена (1819–1892). Ці рядки постійно звучать у фільмі «Товариство мертвих поетів» (1989), який, вочевидь, подобається татові Емі — *Прим. пер.*

грозою. Якщо літак опиняється в зоні турбулентності, то ним починає трясти, як машиною на кам'янистій дорозі. Проте у кожному літаку є радари погоди. Капітан може обминути зону турбулентності, — пояснив тато.

Я здивовано глянула на нього. Ці дорослі! Усе вони знають!

Розкривши щоденника, записала: «Ми летимо до Мілана. У дорозі нас спіткала турбулентність. Вона буває завжди, у літаку є радар погоди!».

Аж тут штора перед нами заходила ходором. З-поміж хвиль тканини вигулькнула голова Флори.

— Агов, Емко, ти боїшся?

— Трішки, — визнала я.

— Керівничка Таємного Клубу Супердівчат не може боятись, — урочисто промовила Флора. — Пам'ятаєш?

Не боїмось ми щипавок і тарганів,
Не пищимо від змій і павуків,
Не боїмося монстрів, ні почвар,
Ні привидів, ані нічних примар—
Врятуємо і друзів від біди,
*Безстрашні ми у Клубі назавжди!**

---

* Тут і далі у перекладі Вікторії Міщук та літературному опрацюванні Наталки Малетич. — *Прим. ред.*

— Авжеж! Це ж гасло нашого Клубу! — осяяло мене, і я справді перестала боятися.

Літак летів уже дуже спокійно. Я спробувала читати пригоди Піноккіо, але, коли він устругнув першу витівку, відчула, що втомилась, і просто заснула. А прокинулась тільки тоді, коли капітан оголосив, що ми йдемо на посадку.

— Тримайтеся, дівчата! Сідаємо! У мене для вас несподіванка! Беріть по ведмедику і жуйте, щоб у вас не закладало вуха, — озвався тато і дав нам фруктові желейні цукерки.

Ми всі спокійно всілися на сидіннях, а милі стюардеси перевірили, чи пристебнуті в нас ремені. Літак поступово спускався нижче, і ось я побачила дахи будинків. Нарешті ми доторкнулися до землі.

Літак ще доволі довго мчав уперед.

— Коли вже ми почнемо гальмувати? — занепокоїлась я, впершись руками у спинку сидіння переді мною.

І тут нас шарпнуло, літак почав поволі збавляти швидкість і нарешті зупинився.

— Ху-у-ух, — видихнула я. — Прилетіли!

— Італія! — почула поряд захоплений вигук пані Лаури.

Штора між нами і сім'єю Звєндли під час посадки була піднята, тож Флора встромила голову між сидіннями й повторила:

Не боїмось ми щипавок і тарганів,
Не пищимо від змій і павуків,
І ящірками не злякати нас...

— Фу-у-у, — пробурчала я. Кожен може боятись!

Пані Лаура, заспана і розкуйовджена, втрутилася в нашу розмову:

— Флоронько, Емі ж уперше летить. Пам'ятаєш, як ти вперше летіла? Сиділа, втиснувшись у тата!

Флора насупилась, але на суперечки вже не було часу. Пасажири діставали свій багаж із полиць, розміщених над головами, і помаленьку рухалися до виходу, так само, як і ми.

Через блискучі коридори ми йшли по наші валізки.

— Флоронько, не сідай цього разу на карусель, — попередив дочку пан Звендли.

Виявилося, що карусель — це стрічка, на якій валізки виїжджають із тунелю.

— Скрізь тунелі! — зітхнула я.

Коли наші речі вже прибули і тато поклав їх на візок, ми з Флорою всілися на самісінькому вершечку. Тато штовхав візка, а ми з висоти роздивлялись, як на стрічках погойдуються кольорові валізи й торби.

Нарешті ми опинилися в залі прильотів. Біля бар'єру стояла сила-силенна людей.

— Зал прильотів, — сказав пан Звєндли. — Шукаймо Франческу.

— Франю! — поправила його пані Лаура.

Довго чекати нам не довелося. До нас поспішала висока жінка у червоному пальті. Здалеку махала нам білою хустинкою. Коли вже була близько, я побачила, яка вона елегантна. Біляве волосся було старанно зібране в пучок, а на шиї виблискував кулон.

— Франческа! Справжнісінька елегантна італійка! — привітав її пан Звєндли.

Пані Лаура косо зиркнула на нього, але відразу потонула в обіймах своєї приятельки.

— Ґацеки, — представила нас пані Звєндли, коли їй вдалося виборсатись із обіймів. — Юстина, Якуб, Емі.

Ми насилу запакувалися разом із багажем в автівку пані Франчески. І рушили. За годину добралися до передмістя Мілана, де мешкала пані Франческа з родиною.

Ми якраз з'їжджали з автобану, у далечині виднілися засніжені гори, а попри саму вулицю висів велетенський біґборд.

Я придивилася краще. Та це ж Феліція!

— Флоро! Дивись, це, мабуть, Феліція! — вигукнула схвильовано я.

— Концерт! У Феліції тут концерт, — діловим голосом сказала Фло. — Добре їм тут, у цьому Мілані!

Родина пані Франчески — або, як більше подобалося мамі Фло, Франі — зустріла нас на порозі дому. З'явились господар, пес і хлопець, вищий від мене на голову. На плечі у хлопця сидів щур.

— Франю! Але ж це щур! — скрикнула пані Лаура.

— Це вона. Щуриця Лілія, улюблениця Лючано, — заспокоїла її пані Франческа.

Тато Лючано сказав щось італійською — здається, «бонджорно»*. Мабуть, це значило «добридень». Зате Лючано промовив польською:

Buongiorno (італ.) — «добрий день».

— Привіт, дівчата! Погнали на кльоцки! Я вмираю з голоду.

У нас бурчало в животах, тож ми, не довго думаючи, побігли за Лючано та його щурицею.

МИ ЗБИРАЄМОСЬ НА КОНЦЕРТ ФЕЛІЦІЇ. ПІНОККІО ГУБИТЬ НОСА

Ми забігли до їдальні, де пані Франческа посадила нас за прегарно накритий стіл.

— Ох, Франю, не треба було! — вигукнула пані Лаура, побачивши це неймовірне видовище.

— Нам нечасто випадає відсвяткувати таку чудову зустріч, — урочисто промовила пані Франческа (хай буде Франя, бо це таки коротше). — Запрошую на ранній обід!

Тоді озвався тато Лючано і сказав щось так швидко, що я запам'ятала тільки «бонапетіто!»*.

— Бон тон! — відповіла я чемно, бо ще не забула прочитану в школі книжку про гарну поведінку.

Мама промовисто зиркнула на мене, зате всі решта голосно розсміялись.

---

* *Buon appetito!* (італ.) — «Смачного!».

Не розумію, що тут кумедного!

— Фабіано хотів побажати смачного, — пояснила пані Франя. — Він ще не вивчив польської.

Я штурхнула Фло.

— Фабіано і Франя! Але номер!

Батьки Лючано також штурхнули одне одного, пані Франя кашлянула, а коли всі вже дивилися на неї, повідомила:

— Хочемо вам щось сказати.

Ми й далі дивилися вичікувально, а вона зі слізьми на очах випалила:

— Ми їдемо до Польщі!

— Чудово! — вигукнула пані Лаура. — Можете зупинитися у нас. Зорганізуємо екскурсії.

Тоді пан Звєндли промовисто кашлянув.

Я його розумію. Я також не хотіла би жити під одним дахом зі щурицею.

— Ой, ні! Ми переїжджаємо щонайменше на рік, — пояснювала пані Франя. — Ви би з нами не витримали! Ми потім вам розповімо. А тепер запрошую на макарони й салати. Бо зараз усе прохолоне. Добрі макарони смачні тоді, коли парують!

Ми з Флорою накинулися на спагеті. Чудова країна! У них стільки макаронів! І їх можна їсти перед обідом!

Мама уважно стежила за мною, бо я з'їла вже другу порцію.

— Якщо їстимеш у такому темпі, доведеться платити в аеропорту за додатковий багаж, — зауважив тато.

Пані Франя була дуже задоволена.

— Це улюблені спагеті Лючано. Я знала, що дівчатам вони посмакують!

Почувши ім'я Лючано, його щуриця Лілія жваво замахала хвостом.

Мама Фло з огидою скривилась.

— Як ви можете тримати цю тварину вдома? Та ще й обідати з нею!

— Це домашній щур, чистенький, і він нікому не заважає, — запевнила її пані Франя.

— Він нам погриз піаніно. За кілька місяців мене звільнили від занять, — сказав Лючано із задоволеною міною.

Після макаронного бенкету ми розпакувалися у наших кімнатах (нам із Флорою дісталася окрема кімната біля кімнати Лючано!), а потім був десерт.

— Це один із найсмачніших десертів в Італії. Тірамісу! — оголосила мама Лючано, подаючи нам тарілочки з бісквітом, посипаним какао, і горою крему. Я вже її полюбила! Вона знала, що смакує дівчатам із Таємного Клубу!

Поки ми поглинали тірамісу, наші тати вийшли з паном Фабіано оглянути сад і гараж. Тоді пані Франя розпочала свою оповідь:

— Уявіть собі, що ми повинні виїхати з Мілана! Ба навіть з Італії! Фабіано — режисер, він поставив у Мілані багато мюзиклів, що були вельми високо оцінені. Проте останнім часом із кількома прем'єрами не склалося. Взагалі суцільні фіаско!

Пані Франя затулила обличчя руками.

— Але чому, Франю? Ой, вибач, Франческо? — спитала Флорина мама.

— Чому? Бо завжди у день прем'єри зникає найважливіший реквізит і навіть комплекти костюмів! Це щось жахливе! — заридала пані Франя.

— Значить, у театрі є злодій! — громовим голосом проказала пані Лаура.

— Хтось вам стає поперек дороги! — втрутилася мама.

— Може бути й таке. Останній спектакль, «Співаючи під дощем», перетворився на комедію. За п'ятнадцять хвилин до вистави пропало двісті парасольок! — розповідала далі мама Лючано.

— Ой, мамо, — втрутився її син. — Без парасольок було смішніше!

Я подумки всміхнулася. Цей Лючано має почуття гумору.

Проте його мама була іншої думки.

— Це не жарти! — сказала вона. — Всі намокли. Солісти застудилися. Бо вкрали ще й дощовики, в яких вони мали виступати під струменями дощу.

— Ого, як гарно! — вигукнула я. — То на сцені йшов дощ?

— За сценарієм — так, — підтвердила пані Франя.

— Це мій тато вигадав, — гордо сповістив Лючано. — На деяких глядачів дощ теж потрапив.

Флора копнула мене в ногу під столом. Я здивовано глянула на неї.

— Таємниця! — зашипіла вона мені прямо у вухо. — Справа для Таємного Клубу.

Це правда! Як керівничка Таємного Клубу Супердівчат я мала бути пильнішою. Але, зрештою, Фло — наче заступниця керівнички, тож я можу на неї покладатися.

Пані Франя розповідала далі:

— Отож ви самі розумієте, що після стількох поразок Фабіано має змінити середовище! На щастя, доля нам усміхається! Його запросили поставити два спектаклі у Варшаві. Дуже престижні події.

— Справді? — здивувалася Флорина мама. — Я не помічала, щоб у нашій столиці ставили так багато мюзиклів.

— Отож-то й воно! — додала її приятелька. — Фабіано має це змінити! Ми приїжджаємо за два, ну, може, за три тижні. Я нічого не казала раніше, бо хотіла, щоб це була несподіванка.

— Але щоб отак приїхати з родиною і купою речей, треба все підготувати! — дивувалася пані Лаура.

— Перед нами поїде асистент Фабіано. Він зазвичай займається костюмами. Подивиться, які умови в театрі, зустрінеться з акторами. А ми будемо пакуватися і завершувати справи в Мілані. І нас уже чекає затишне помешкання. Дирекція театру запропонувала нам житло неподалік, у старій кам'яниці.

— Моя приятелька живе у кам'яниці, у них весь час немає води, — діловим тоном додала Фло.

Пані Лаура докірливо глянула на дочку.

— Зузя із зовсім іншого району. Вона живе за містом — по суті, у лісі. І в них щось сталося з колодязем.

Але пані Франя занепокоїлась.

— У вас відключають воду? А як з електрикою? А продукти у крамницях є?

— Франю! Ми живемо в цивілізованому світі, — почувся здалеку гучний голос пана Звєндли. — У центрі Європи!

— Не підслуховуй! — пирхнула його дружина. — У Франі серйозна проблема.

Флора відтягнула мене в куток. Ми вишкрябували з тарілочок рештки смачнючого тірамісу і розмовляли.

— Ця справа впала нам прямо з неба, — промовила Флора. — Можемо перевірити, на що ми здатні.

— Так! Треба братися до роботи! — підтвердила я. — Щойно повернемося додому.

— Та ти що! — накинулась на мене Флора. — Перші дані маємо зібрати на місці злочину, у Мілані.

— Угу, — з повним ротом погодилась я. Це тірамісу було суперове.

Отож ми повернулися до решти, і Флора почала допитувати маму Лючано:

— А ви чули, щоб в інших міланських театрах також зникав реквізит?

— Ні, люба. Прем'єри завжди відбувалися вчасно і з великим шиком! Не те що у нас! — захлипала пані Франя.

— Флоронько, це дражлива тема. Облишмо її. Переїзд — це чудова ідея! А нові прем'єри стовідсотково матимуть успіх! — завершила розмову пані Лаура.

Ми, спіймавши облизня, перезирнулися. Однак, побачивши сльози пані Франі, не могли далі її мучити.

Зненацька на її обличчі засяяла усмішка.

— Мало не забула! У мене є ще одна несподіванка! Я чула, що ви любите Феліцію!

— Банально! Ми її обожнюємо! — підтвердила я.

— Лючано також подобається Феліція, — сказала пані Франя, підморгнувши до сина. — Він подав нам ідею піти сьогодні ввечері на концерт. Феліція розпочала турне в Італії. Сьогодні у неї два концерти в Мілані!

— Повірити не можу! — видихнула Флора. — Ми йдемо на Феліцію! Тату, ти чув?

Пан Звєндли не виявив ентузіазму. Занепокоєно зиркнув на мого тата.

— Сподіваюся, що нас, чоловіків, буде звільнено від цієї приємної події...

— Кожен може присвятити час улюбленим розвагам. Фабіано запланував пробіжку. Лаура з Юстиною йдуть на шопінг, а ви... ну що ж? Можете побігати з Фабіано або посидіти перед телевізором, — запропонувала свій план пані Франя.

Наші тати скривилися і влаштували тиху нараду.

— Не знаю, чи бігати відразу після обіду — це гарна ідея, — пробурмотів тато.

— Обід скінчився понад годину тому! — втрутилася мама.

Пан Фабіано дивився на них зацікавлено і врешті вийшов. Повернувся в костюмі для бігу, який щільно облягав його тіло. Звернувся до решти чоловіків:

— Джоґінґ? — і додав ламано: — Ми разом джоґінґ?

Коли ті стенули плечима, кинув їм щось зібгане. Тати здивовано розгорнули згортки. Виявилося, що то костюми для бігу.

— Лючано бере участь у марафонах, він має запасні костюми. Користуйтеся, хлопці! — ґречно пояснила пані Франя, хоч її чоловік уперто пояснював щось італійською.

Незабаром обоє татів, зі смутними мінами, у трохи затісних спортивних костюмах, готові були до бігу. Ой, даруйте. До біганини.

А ми з Флорою стали готуватися до великого виходу на концерт Феліції!

Почали з того, що записали в Таємному Щоденнику два факти:

1. Нова таємниця театру пана Фабіано.

2. Концерт Феліції в Мілані.

У другій половині дня ми вирушили на концерт. Ми з Флорою, мама Лючано і він сам (на цей раз без щуриці, бо вона могла би перелякати Феліцію!) поїхали на метро, бо концертна зала була буквально за крок від кінцевої зупинки.

Уже дорогою ми зорієнтувалися, що це не звичайний концерт. На станціях і у вагонах метро було повно таких дівчаток, як ми. Окрім Лючано, ми побачили, може, з десятьох хлопців. Усі фанатки Феліції були пообвішувані торбинками, пообчіплювані значками й іншими речами із зображеннями зірки!

— Тільки у нас нічого немає з Феліцією... — зітхнула я. — Ми не схожі на справжніх фанаток.

— Просто ми не встигли підготуватися, — Флора не втрачала доброго настрою.

Пані Франя виявилася справді дивовижна, бо у першому ж кіоску біля концертної зали дозволила нам вибрати якийсь сувенір із Феліцією. Ми троє вибрали однакові пов'язки із серіалу з іменем нашої кумирки! Пречудово! Пані Франя пов'язала усім пов'язки на голову і сфоткала нас. Тепер ми також були справжніми фанатками Феліції!

Концерт розпочався рівно о п'ятій. Сцена сяяла тисячами вогників, і на неї вийшли всі! У повному складі! Я не могла в це повірити! Цілий час стискала Флору за руку і пищала від захвату. Першу пісню виконали Феліція зі своїм хлопцем Романо. У серіалі вони не можуть визначитися, чи зустрічаються, чи ні, а зараз заспівали дуетом. Феліція сиділа на гойдалці, а Романо стояв біля неї! Пісня викликала шквал оплесків. Потім сцена перетворилася на музичну студію і розпочався шалений номер у виконанні всього гурту!

Феліція
Феліція
Феліція

Грали на гітарах, на перкусії, співали соло і хором... Найбільше мені сподобалася красива атмосферна пісня, яку виконували на тлі весняних квітів, що змінювалися, наче в калейдоскопі. Рослини рухалися туди-сюди й мінилися різними барвами.

— Пречудова вистава! Пречудова! — вигукувала пані Франя.

А ми з Флорою і Лючано кричали «браво» й пищали від захвату.

Зрештою, пищала вся зала, у якій зібралося кілька тисяч дітей.

— Я ніколи ще не бачив стільки маленьких дівчаток в одному приміщенні, — сказав Лючано. — Шкода, що я не взяв Лілії! Як думаєте, вона би сподобалася цій компанії?

Флора скорчила заклопотану міну.

— Думаю, що майже всі фанатки Феліції утекли б звідси!

— От і я про те, — зрадів Лючано. — Ми б стояли під самою сценою!

Коли концерт закінчився, пані Франя дозволила нам обрати ще по футболці з написом «ФЕЛІЦІЯ ТУР-2014». Ми відразу їх вдягнули і сфотографувалися на згадку.

Ось і все. Феліція та її гурт попрощалися з фанатами.

Разом зі схвильованим натовпом ми пробиралися до метро, щохвилини зупиняючись біля кіосків, які стояли на кожному кроці. Там продавалися різні дивовижі: прапорці, крейдочки, заколки для волосся і всяка інша всячина — звісно ж, із Феліцією.

Проте зараз пані Франя була непохитна.

— Ми витратили цілу купу грошей на квитки, пов'язки й футболки, — сказала вона. — Цього досить.

Коли нам нарешті вдалося зайти у вагон, Флора ущипнула мене і попросила маму Лючано:

— А розкажіть нам, будь ласка, про таємниці театру! Це так цікаво!

— Я ще ніколи такого не чула! — підхопила я, відразу зрозумівши Флорину стратегію. Нитка виведе до клубочка!

Цього разу пані Франя була дуже спокійна. Може, вже виплакала всі сльози? Або плаче тільки перед пані Лаурою?

— Ну, що ж... Це почалося два роки тому. Спершу зникла діадема. То була імітація славнозвісної прикраси єгипетської царівни для костюмованої вистави. Ми подумали, що хтось захотів її собі привласнити, бо вирішив, що це коштовність, — почала пані Франя.

— І що? Що далі? — схвильовано допитувалися ми.

— А те, що мама купила схожу діадему на ринку за кілька центів! І ніхто не здогадався! — вигукнув Лючано.

— Прем'єра була чудова! Публіка шаленіла! Ох!.. — пані Франя зворушилася від самих спогадів.

— Далі, далі розповідайте! — квапила її Флора.

— А після цього ми ставили дитячу виставу «Піноккіо», — продовжувала пані Франя.

— Вони не знають про Піноккіо. Це італійський персонаж, — втрутився Лючано.

— А от і знаємо! Це дерев'яна лялька, що хотіла бути хлопчиком! — обурилась я.

— І читаємо перед сном книжку про Піноккіо, — додала Фло.

— От молодці! — похвалила нас мама Лючано. — Тоді ви знаєте, що Піноккіо мав довгий ніс. А коли він брехав...

— Був далекий від правди! — знову перебив її Лючано.

— Отож, коли він був далекий від правди, тобто брехав, його ніс ставав усе довший і довший, — розповідала далі пані Франя. — І знаєте, що сталося? Хтось зламав його носа! У тій сцені, коли ніс мав стати довгий, акторові, що грав Піноккіо, довелося вийти до глядачів з коротким носом! Із нас усі сміялися! Усе місто нас висміяло!

— Це кепсько, — промовила Фло. — Справді кепсько!

— А потім була історія з парасольками. У нас вкрали триста парасольок. Дизайнерських, з високої полиці!

— Ти казала, що їх було двісті! — зауважив Лючано. — І вони зовсім не лежали високо на полиці. Я бачив, що Флавіо складав їх зі самого низу.

Пані Франя зітхнула.

— «З високої полиці» означає, що йдеться про найвищу якість. Себто що ми не купили парасолі на базарі. Вони були ручної роботи, із найкращих матеріалів. Їх виготовили найліпші майстри нашого міста.

Ми замовкли. Що тут можна було додати? Єгипетська царівна без прикрас. Піноккіо без носа. Співи під дощем без парасоль!

Коли ми врешті добралися додому, наші тати лежали горічерева і відпочивали після виснажливого джоґінґу. А наші мами розпаковували торби й торбинки.

Пан Фабіано крутився біля їхніх набутків, розставлених посеред кімнати, і тільки й прицмокував:

— Беллє! Мольто беллє!* Дорого. Дорого...

Пані Лаура все виймала з торбин нові речі, гордо їх демонструвала й запевняла:

— Не так дорого. Це зі знижкою.

— Полювання вдалося! — промовив пан Звендли з кислою міною. — Але, на щастя, вже завершилося.

— Та ну, любий! Завтра крамниці також відчинено, — заперечила його дружина.

— На завтра Франя запланувала відвідини кафедрального собору й музеїв, — пан Звендли потер руки.

— Вхід у собор безкоштовний. Квитки до музеїв — зі знижкою Фабіано, — втрутився мій тато. — Це буде насичений і довгий день. Тому діти вже мають лежати в ліжках.

— Тату! Ще трошечки! — запищала я. — Нам ще треба скільки всього обговорити. Лючано мав нам показати фокуси Лілії!

Пан Фабіано розсміявся.

— Говорити! Мамма міа!**

---

* *Molto belle!* (італ.) — «Дуже гарно!».

** *Mamma mia!* (італ.) — «Мамо рідна!».

Протестуючи, ми почалапали нагору до своїх кімнат.

— Як нудно! — бурчала Фло. — Ми в гостях — і маємо йти спати.

Лючано вирішив порятувати честь родини.

— Почистимо зуби, підемо до своїх кімнат, і батьки подумають, що ми собі спокійно спимо. Тоді я дам знак, і ви тихесенько проберетеся зі своєї кімнати до мене...

Очі у нас засяяли, бо запахло пригодою.

— Ідея супер! — прошепотіла я, а Флора підтакнула.

Отож ми зробили так, як сказав Лючано. Чемно перевдягнулися в піжами, голосно сказали «добраніч» і залізли до ліжок. За кілька хвилин обережно прочинили двері. Знизу долинав веселий гомін. Світло в коридорі було вимкнене. Ми навшпиньки прослизнули до кімнати Лючано.

— Оце я розумію! — похвалив він нас. — Хоч я не був певен, що ви прийдете.

Ми стенули плечима і попросили, щоб він показав нам фокуси Лілії.

— Фокуси чепурної щуриці Лілії напрочуд химерні, — проказав він, примруживши очі.

Флора у відповідь теж примружилась.

— Ти надто добре знаєш рідну мову. Швидше! Поки нас не спіймали на гарячому, — квапила вона Лючано.

Тоді Лючано поставив у клітку Лілії колесо, і вона почала перекидатися через голову. Коли їй це вдавалося особливо хвацько, господар давав їй одне зернятко корму.

— Гарно! — оцінила я. — Спритна ця твоя щуриця.

— Це ще не все. На горищі в мене є ігровий майданчик. Обладнав його навмисне для Лілії, — похвалився Лючано.

— Ми йдемо на горище? Супер! Оце пригода! — зраділа Флора.

Лючано, не зронивши й слова, дістав з-під подушки ліхтарика і вказав на двері.

Я зовсім не була певна, чи це така вже й гарна ідея. Але приєдналася до Лючано з Флорою. Ми скрадалися навшпиньки, освітлюючи собі ліхтариком дорогу в темному коридорі. Ось лишень кілька кроків відділяло нас від сходів, що вели якраз туди, куди нам було треба, аж раптом щось позаду скрипнуло. Раз, а потім удруге. Ми спинилися. Тиша. Знову рушили вперед. І тоді у нас за спиною почулося італійською:

— Мамма міа! Бамбіні*!

Це був тато Лючано. Він застав нас майже біля самих дверей на горище.

---

* *Bambini* (італ.) — «діти».

Він щось іще говорив італійською і цілий час реготав. Лючано знову, не проронивши й слова, показав рукою назад.

— Гарно було, — проказала Флора, зітхаючи. І ми заснули.

Наступного ранку вся наша компанія вирушила до міста. Ми поїхали на метро до центру Мілана і вийшли неподалік від славнозвісного собору.

— Собор Дуомо ді Мілано — один із найбільших соборів у світі, — пояснював нам тато, коли ми стояли серед голубів навпроти входу до споруди. — Чудовий взірець готичної архітектури*. Його будівництво розпочалося понад шістсот років тому.

Ми зайшли до собору. Всередині було дуже просторо й доволі світло.

— Ці вітражі — найбільші у світі, — розповідав тато.

Нам захотілося обійти собор по колу, але почалася служба і ми вирішили вийти. Почули ще, як якась жінка співає чистим прегарним голосом.

— Італія — це колиска культури, — озвалася пані Лаура.

— А тепер — Ла Скала**!

---

* Готика — стиль в архітектурі та інших видах образотворчого мистецтва, що розвивався у Європі з XII століття.

** Ла Скала (La Scala) — найзнаменитіший оперний театр у Мілані та в усій Італії, один із найкращих у світі.

Ла Скала виявилася невеличким будиночком з коричневої цегли. Це один із найвідоміших оперних театрів світу. Сьогодні театр було зачинено, тож про те, щоб зайти досередини, годі було й думати.

Потім ми знову повернулися на площу біля собору, бо в пані Франі були квитки на якусь виставку.

— Кандинський*! — повідомила вона тріумфально. — Я для нас усіх роздобула квитки.

— Е-е-е... Ми вже на нього ходили у грудні з класом, — позіхнув у відповідь Лючано.

— Чудово! Тоді можеш бути екскурсоводом для дівчат! — відказала його мама.

Музей, до якого ми пішли на виставку, був прямісінько біля собору. Ми спритно оминули чергу до каси (у ній стояло, мабуть, більше сотні людей, і всі заздрісно дивилися на нас) і увійшли досередини.

Тут було дуже тихо і спокійно, зовсім інакше, ніж на площі перед собором, де вуличні продавці закликали купувати мініатюрних механічних коників чи картаті шалики.

---

* Василій Кандинський (1866–1944) — російський художник, графік, один із засновників абстракціонізму. Представники цього стилю відмовляються від наслідування природи, митці компонують кольорові плями прості геометричні форми.

Верхній одяг ми залишили у гардеробі. Пройшли за оксамитову завісу й опинились у приміщенні, яким у цілковитій тиші походжали відвідувачі. Зупинялися перед картинами на стінах, кивали головами і переходили до наступної зали.

— А чому тут ніхто не розмовляє? — спитала Флора.

Її мама відразу ж шикнула на неї. Я тільки почула, що мистецтвом слід насолоджуватися мовчки. Правда, дивно?

Ми пройшли кілька зал, у яких були тільки картини на стінах. Деякі кольорові, а деякі — чорнобілі. Оті, що чорно-білі, звуться «графіка».

Мені найбільше сподобалася картина «Синє небо»* і ще та, на якій було тринадцять квадратів, які я ніяк не могла порахувати.

Але найбільше нам припала до смаку крамничка музею, де можна було купити плакати з виставки і всякі кумедні штучки. Лючано обрав для нас на згадку дзиґи у формі полуниць. Вони дуже довго крутяться. А я купила собі довгу двоколірну гумку, схожу на свердло.

— Чудова виставка! — промовила мама. — А як тобі, Емі? Сподобалося?

---

* «Синє небо» — полотно Василія Кандинського, створене 1940 року.

— Мені сумно, — відповіла я, бо так і справді було.

— Чому? — здивувалася мама.

— Гадаю, що я ніколи не навчуся так малювати, як цей художник, — зажурено відповіла я.

Усі дорослі вибухнули сміхом. І що тут смішного?

Потім ми ще трохи погуляли містом. Флора намагалася вмовити маму купити мініатюрного механічного коника. Але нічого з того не вийшло.

Увечері ми вже мали їхати з Мілана, тож пані Франя з Лючано та щурицею Лілією відвезли нас до аеропорту.

Ми тепло попрощалися. Але ненадовго. Адже за кілька тижнів знову побачимося!

А Лючано вручив мені... листа!

— Розкрий його лише тоді, коли ви пройдете контроль в аеропорту! — сказав він.

Під час контролю, коли мій наплічник уже проїхав крізь тунель, нас із мамою покликали. І попросили розпакувати наплічника.

Мама перекинулась кількома фразами з працівником служби контролю і — вся аж червона — запитала мене повільно й чітко:

— Емілє, у тебе в наплічнику є ножички?

— Ні, немає! — відповіла я, бо так воно й було.

Працівник служби контролю тріумфально підняв догори якийсь предмет.

І це були... ножички!

Тож вони опинилися у смітнику.

— Чекайте, чекайте! — я гарячково обшукувала кишені. — Лист! Де лист від Лючано?

Нарешті я видобула з кишені старанно складений аркушик і прочитала:

«Це на той випадок, якщо ти думаєш, що я чемний хлопець! Ха-ха! ЛОЛ!»

Пані Лаура зітхнула.

— А він здавався таким милим! Франя каже, що він має акторські обдарування і грає на піаніно й на гітарі! І начебто ходить до школи мюзиклу! І чого їх там вчать? Таких жартиків?!

Працівник служби контролю поплескав мене по плечу і помахав рукою на прощання, вигукнувши щось таке:

— Беллліссіма тероріста!

А ми пішли на літак. Годі вже тих пригод у Великому Чоботі!

ВИБУХАЄ КАРТОПЛЯНА ВІЙНА, І З'ЯВЛЯЄТЬСЯ МАПА ДУМОК

Невдовзі після нашого повернення з Італії святкові канікули закінчились і ми знову пішли до школи. Ми зустрілися у Таємному Клубі з Анєлою та Фау. І знову з'явилася велика перерва, яку я так любила!

Пречудово!

Тільки мама не могла з цим примиритися.

— Знову треба вставати о пів на сьому, — нарікала вона. — А було ж так добре!

— Я можу сама їздити до школи, — запропонувала я. — Автобусом чи на метро.

— Це прекрасна ідея, але ми втілимо її в життя не раніше, ніж за сім років, — відповіла мама.

Таємний Клуб Супердівчат нетерпляче очікував, коли ж приїде пані Франя з родиною.

Того дня ми зібралися на великій перерві, а Флора в усіх подробицях розповідала про нову таємницю:

— Отож ви тільки уявіть собі... спершу зникає діадема єгипетської цариці!

— Отієї найзнаменитішої? Нефертіті*? — спитала Фаустина.

— Я не така просунута в історії, як ти, — відповіла Фло. — Може, і її.

— Пані Франя казала, що це не цариця, а царівна! — заперечила я.

— Менше з тим. Ідеться про прегарну діадему, оздоблену самоцвітами! Записуємо це в таємних щоденниках! — розпорядилася Фло.

Коли ми всі дописали, Флора запитала:

— Хто ніколи не чув про Пінокkіо?

— Ми будемо читати про нього в першому класі? — спитала Анєла.

— Та ні, я не про це. Бачу, всі чули, бо ніхто нічого не каже, — вела далі Фло. — Пінокkіо...

Тоді я втрутилася у Флорин виступ. Зрештою, це я керівничка Таємного Клубу Супердівчат.

— На виставі про дерев'яну ляльку, яку звали Пінокkіо і яка хотіла стати справжнім хлопчиком, несподівано зник її НІС! — промовила я.

* Нефертіті — дружина одного з фараонів (правителів Стародавнього Єгипту), напрочуд вродлива. Одна з нечисленних жінок, зображених на барельєфах, що були знайдені в Єгипті.

— Справді? — Анєла покрутила головою. — Піноккіо без носа — це вже не Піноккіо!

— Отож-бо й воно! — тріумфально підтвердила Фло. — Ну й остання подія, — Флора притишила голос. — Ви чули про мюзикл «Співаючи під дощем»*? Його у нас ставили, моя мама була на прем'єрі в театрі. Один чоловік танцює під дощем... Словом, для цієї вистави пані Франя, тобто пані Франческа, приготувала понад триста парасольок, їх виготовив відомий дизайнер. І всі вони зникли! — завершила вона драматично.

Я вирішила підсумувати її розповідь — так само, як наша вчителька на уроках.

— Отож маємо справу з цілою низкою дивних подій. Реквізит зникає раз за разом. Ідеться про наших близьких знайомих: пані Франю, пана Фабіано і... ну, того хлопця, Лючано.

Я розчервонілася від самої лише згадки про нього.

— Цей Лючано гарний? — спитала Анєла.

— Любить пожартувати, — відповіла я, бо це була правда. — А ще багато знає про театр. Пам'ятає всі обставини, за яких зникав реквізит. Може стати нам у пригоді.

---

* «Співаючи під дощем» — відомий мюзикл (або ж музична комедія) 1952 року режисера Стенлі Донена, дія якої відбувається у період переходу від німих фільмів до звукового кіно.

Після цього ми у повному складі вирішили, що Таємний Клуб Супердівчат починає нове розслідування і розгадає цю театральну таємницю! Як тільки пані Франя і пан Фабіано почнуть працювати в нашому місті, ми беремося до роботи!

— Згода? — спитала я дівчат. — Навіть якщо слідство вимагатиме певних жертв?

— Згода! Ми Таємний Суперклуб! Це клас! — підтвердила Флора.

А решта підхопили:

Бо ми Таємний Суперклуб. Це клас!
Не боїмося монстрів, ні почвар,
Ні привидів, ані нічних примар —
Врятуємо і друзів від біди,
Безстрашні ми у Клубі назавжди!

— Ех, тільки що ми можемо знати про театр? — зітхнувши, сказала Фау, та відразу ж пожвавилася і додала: — Але я також невдовзі вийду на сцену. У мене буде концерт до дня народження!

— Ой, та що там такого в тому театрі. Ми були в Мілані і бачили той оперний. Маленький старенький будиночок! — відповіла Фло.

— Ми з Флорою ходили колись на балет «Лускунчик». І там був оркестр! А в самому центрі на підвищенні стояла арфа!

Очі у Фау загорілися.

— Справді? Ой, як чудово! Ну і запрошую вас на свій концерт. Ви прийдете?

— Ясно, що так! — згодилась я. — Тільки ти нам скажи заздалегідь — точно прийдемо до тебе!

Раптом ми почули знайомий голос:

— Дівчата! Ходімо на обід! Перші класи обідають разом!

Це була наша вчителька! Тож ми хутенько майнули до їдальні.

Те, що ми там побачили, перевершило всі наші очікування.

Хлопці товклися за одним столиком. Алекс, отой хлопець із гарною широкою усмішкою, щось хімічив біля якоїсь катапульти. Ця штуковина була сконструйована з глибокої миски й ложки. Замість куль — картопля, що була на обід. Решта хлопців подавали йому набої, а він цілився у групку з кількох дівчат, що якраз намагалися доїсти суп.

Інші хлопці підбурювали його до наступу, волаючи:

— Давай! Стріляй! Вогонь!

Коли летючі картоплини подолали всю їдальню й опинилися у волоссі Кароль, найкрикливішої дівчинки з нашого класу, та встала й вигукнула:

— Ну ви й заробите у вчительки!

Мушу визнати, що розтовчена картопля в її білявих кучерях мала мальовничий вигляд.

Побачивши, що діється, Флора розвернулася і сказала:

— Я звідси звалюю. Не хочу опинитися в центрі бійки. І в центрі уваги пані директорки!

На жаль, ані я, ані Анєла не могли вчинити так само. Позаду нас стояла наша вчителька й уважно спостерігала за полем бою.

— То що ви про це думаєте? У кого більші шанси? У команди хлопців чи в команди дівчат? — спитала вона у нас.

— У хлопців... — затинаючись, відповіла Анєла.

— То чого ви чекаєте? Маємо допомогти слабшим! — і наша вчителька з войовничим кличем кинулась до дівчат. А ми — слідом за нею.

Час у їдальні раптом ніби застиг. Тут і там чути було лише вигуки: «Вогонь! Прицілитись!». Але поволі западала тиша. Картопляні снаряди, які ще летіли в повітрі, якби могли, змінили б напрямок руху. Вчителька стала перед жменькою дівчат. Простягнувши руку, спритно впіймала летючу картоплину.

— Добре, що це не пюре, — шепнула Анєла.

Наша вчителька добряче розмахнулася і вже збиралася метнути картоплину, коли у дверях їдальні з'явилася... пані директорка!

— Ні-і-і-і-і! — скрикнула вона.

Усі завмерли. Але картоплина вже набрала розгону й летіла в її бік. Директорка вчасно відхилилася. Картоплина не вцілила і впала прямо біля неї. Відразу за пані директоркою у дверях вигулькнули пані Фламенко й пан Огіркевич, учитель біології. Глянули на рештки картоплі, що валялась на лавках. Пан Огіркевич потер руки і спитав:

— Картопляна війна! Хто переміг?

Пані директорка була менше задоволена.

Провівши коротку нараду з нашою вчителькою, оголосила:

— Увесь 1-Д клас сьогодні драїть їдальню! — І додала грізно: — У вільний час.

Потім поставила свою їжу на тацю і вийшла.

Ми мовчки дообідали і взялися за прибирання. Ми навіть не брали участі у цій війні, але теж мали прибирати. Та що вдієш. Для тих, хто війну розпочав, кара була справедлива.

Після заняття ми зустрілися в кімнаті відпочинку із Флорою та Фау — другою парою нашого Таємного Клубу.

— Картопляна війна? У їдальні? Я в цій школі вже два роки і ніколи ще такого не бачила! — промовила Флора.

— І пані директорка не оголосила нікому догани? — підхопила Фау.

— Та ні. Ми тільки драїли їдальню, — запевнила дівчат Анєла.

— Е-е-е... Це нікуди не годиться. Хтось має отримати догану! — міркувала Флора.

— Яку догану, Флоронько? — почули ми знайомий голос. — У тебе знову догана у щоденнику?

Я поспішила Флорі на допомогу:

— Ні, просто сьогодні в їдальні була картопляна битва. Воював мій клас. Хлопці проти дівчат. А наша вчителька до нас приєдналася.

— Гарна у вас вчителька! — промовила пані Звєндли. — А я прийшла по вас. Флоро й Емі, збирайтеся. Маю для вас цікаві новини!

Дорогою додому пані Лаура спитала нас:

— Ви хочете спершу почути добру чи погану новину?

— Погану! — буркнула Флора, що й далі ображалася.

— Щуриця Лілія оселиться у нас! — сказала пані Лаура. — Франя, Фабіано й Лючано приїздять за тиждень, але з їхнього помешкання ще не виїхали квартиранти. Тому вони не скоро зможуть туди в'їхати. Щур у мене вдома! — повторила вона. — Це кошмар!

— Супер! — загорілася Флора. — Щодня їстимемо пасту! І піцу! Мабуть, це все-таки добра новина.

Тоді пані Лаура сказала, що в такому разі у неї тільки добрі новини. Бо ще за кілька тижнів приїздить Франек. І, звісно ж, професор Каґанек.

Тоді Флора аж спаленіла.

— Уже? — спитала тремтячим голосом. І відразу додала: — Маємо підготувати транспаранти!

І засипала пані Лауру питаннями:

— Франек приїжджає вже назавжди? А він ходитиме до нашої школи? А Франек...

Флорина мама обірвала її:

— Флоронько, я знаю, що Франек твій приятель. Але тобі треба набратися терпцю. Ти сама його про все розпитаєш. А він залюбки тобі відповість. І з притаманним йому красномовством. Правда ж?

«Красно... чим?» — спитала я подумки. Дорослі завжди вживають такі слова, щоб ми небагато могли зрозуміти.

Я вже збиралася спитати пані Лауру, що ж означає оце «красно...», але Флора мене випередила.

— Я нічого не можу зрозуміти. А ти, Емі?

Я захитала головою.

— Так що це таке — оте «красно-і-так-далі»? — спитала Фло.

— Красномовство. Кажемо, що людина красномовна, коли вона вміє гарно висловлюватися.

— А це часом не базіка? — поцікавилась я.

— Різниця між красномовством і базіканням полягає в тому, що базіка нас не завжди переконає, а красномовній людині здебільшого це вдається! — пояснила пані Лаура.

Цей вечір я провела вдома у Флориних батьків, бо мама з татом пішли в кіно.

Я не була від цього у захваті, бо пропустила нову серію «Феліції». У Флориних батьків зламався телевізор — чи, точніше, тюнер, такий пристрій, через який транслюються програми.

Флора теж ремствувала:

— Повірити в це не можу. Це ж треба, щоб телевізор зламався саме сьогодні, коли починається новий сезон «Феліції»!

— Отакі вони лихі, ці неживі предмети, — сказав її тато. — Я теж думав, що подивлюся матч. Що ж, влаштую собі додаткове тренування!

Відколи ми повернулися з Великого Чобота, мій тато з Флориним татом завзято зайнялися спортом. Пан Звєндли почав серйозно думати про участь у марафоні.

Ми з Флорою поробили домашні завдання. Флора мала підготувати мапу думок на тему прочитаної книжки.

— Мапа думок! Терпіти їх не можу! — лютувала вона. Та ще й про доктора Дуліттла*!

---

* Доктор Дуліттл — головний герой серії дитячих книжок британського письменника Г'ю Лофтінґа; знає мову тварин. — *Прим. ред.*

— Ну, це не так уже й страшно, — зауважила я. — У центрі має бути кольоровий малюнок, а потім навколо нього розміщуєш ключові слова. І так краще запам'ятовуєш те, що найважливіше.

Я вміла створювати мапу думок, бо наша вчителька вже кілька разів давала нам таке завдання. Ну, і мама також ті мапи думок любить.

Флора зиркнула на мене, примруживши очі, але дістала олівці й папір. І взялася у поті чола малювати мапу думок. За кілька хвилин тріумфально показала мені свій витвір.

У центрі намалювала капелюх! А навколо у клітинках понаписувала назви різних тварин, що жили з лікарем.

— А чому ти вибрала капелюх? — спитала я.

— Бо доктор Дулітл нагадує мені диню, — відповіла Фло. — А тепер у мене з'явилася ще одна ідея! Треба зробити у Таємних Щоденниках мапи думок про таємницю театру!

— Геніально! Це буде підказка для нашого слідства.

У центрі ми намалювали Великий Чобіт, бо таку форму має Італія на карті. Потім — будинок із написом «Театр», схожий на той, що ми бачили в Мілані.

Від малюнка відходили лінії, що вели до найважливіших наразі слів, пов'язаних із розслідуванням:

ДІАДЕМА

НІС ПІНОККІО

300 ПАРАСОЛЬОК

Збоку ми накреслили ще кілька додаткових ліній і записали: ХТО ЗА ЦИМ КРИЄТЬСЯ. Після тривалих суперечок зрозуміли, що жодного підозрюваного у нас немає.

— Наші підозрювані — це пані Франя, пан Фабіано й Лючано. Бо саме вони були в театрі щоразу, коли ставалися всі ті випадки, — сказала Флора.

— Лючано такого б не зробив! — стала я на його захист.

— А ти чого така певна? Лючано любить пожартувати, — заперечила Флора.

Мені довелося визнати, що вона має рацію. Бо це підтверджувала історія з ножичками в аеропорту.

Ось так з'явилася мапа таємниці театру.

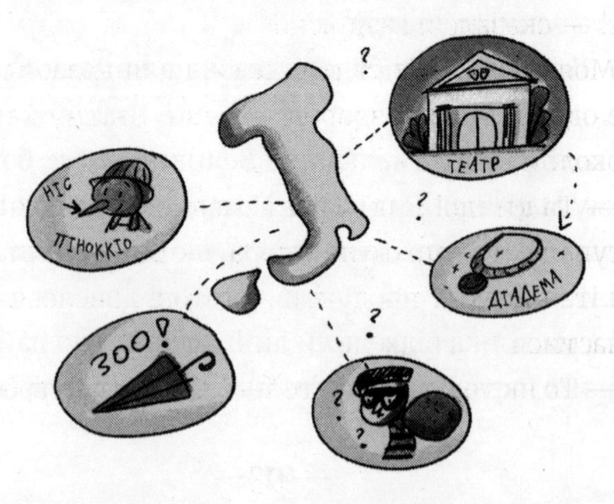

Ми вступаємо до театральної академії. Повертається Франек

Нарешті приїхала родина пані Франі й тимчасово оселилася вдома у Звєндли. Флора була дуже задоволена.

— Це чудово! У нас на вечерю щодня або піца, або кльоцки.

— Мама Лючано суперова! Як вона класно готує! — сказала я заздрісно.

Моя мама любить готувати, це правда, але весь час одні й ті самі здорові страви. Цвітну капусту, броколі й кашу.

— Та ти що! Пані Франя жодної страви не приготувала! — пирхнула Флора. — Вона склала список італійських продуктів, і татові довелося ними запастися.

— То як тоді ви живете? — спитала я стурбовано.

— Тяжко-важко! — зітхнула Фло. — Тато з паном Фабіано по черзі ходять бігати або сидять перед телевізором. До кухні не заходять. І тато, здається, почав вивчати італійську!

Флора з пані Лаурою відвідали нас за декілька днів після приїзду їхніх гостей.

— Ти собі уявити не можеш, Юстусю, що мені доводиться переживати! Приготуй мені, будь ласка, свій чудовий трав'яний відвар. У мене голова тріщить, — побивалася пані Лаура.

— Зате в тебе чудове товариство, — почала мама. — Чого ви не взяли зі собою Франчески...

— Яка там із неї Франческа! — випалила Флорина мама. — Францішка! Франя, повторюю! Мені довелося змінити вдома інтер'єр! Для Франі він недостатньо італійський! Можеш собі таке уявити? У домі живе щуриця. Мене жах охоплює, коли подумаю, в якому стані буде наша домашня бібліотека! — виливала жалі пані Лаура.

— Але ж щур сидить у клітці! — здивувалася мама.

— Авжеж. Інакше я би їх не впустила в дім. Але пам'ятаєш історію з погризеним піаніно? Це все робота тієї Лілії та її нестерпного господаря! — побивалася пані Звєндли.

Мама силкувалася її розрадити:

— Та це ж лише на кілька тижнів, Лауро. Ти витримаєш.

— Кілька тижнів — або й кілька місяців. Не знаю, чи вони собі взагалі десь знайдуть помешкання! А готування — це ціла каторга! То макарони не аль денте*, то надто тверді, моцарела не така, як в Італії, пармезан зам'який. Звендли зробив запаси італійських делікатесів на найближчі два тижні. Ці італійці, Юстино! Гадаю, ти вже розумієш, чому мені зараз тимчасово не потрібне їхнє товариство? — пані Лаура сховала обличчя в долонях.

Ми з Флорою налякано перезирнулися. Бо вже відчували, чим тут пахне! Тож хутенько чкурнули до таємної бази в моїй кімнаті.

— А ти казала, що все так гарно, — підколола я Фло.

— Я можу робити, що хочу, мама займається тільки пані Франею, — радісно відповіла Фло. — Тому круто!

— А Лючано? — обережно запитала я.

— Не знаю. Він живе в тій кімнаті, яку мама зараз називає бібліотекою. На дверях почепив табличку «Будь ласка, не заходити. Якщо щось термінове — прошу телефонувати!». Сидить там цілими днями зі щурицею. Класно, скажи? — захихотіла Фло.

— І що, можна отак просто не ходити до школи? — здивувалась я.

---

* *Al dente* (італ.) — ледь тверді, не цілком готові.

— Банально, він же приїхав до іншої країни. Може, у нього канікули?

Я вирішила повернутися до нашого розслідування і вивідати дещо у Флори. Зрештою, ми вийшли на слід!

— Ти щось знаєш про їхні плани у театрі?

— Е-е-е... Щось чула... дай подумати... Ну так. Здається, із суботи в них починаються репетиції, — відповіла Фло.

— Це дуже важливо для слідства! — громовим голосом сказала я. — Ми повинні діяти!

— Добре, — муркнула Флора. — Ми Таємний Суперклуб! Це клас! Довідаюся, де й коли будуть репетиції. Театр — не вовк, до лісу не втече.

Я була вражена. Флора поводилась так, ніби не була ніякою заступницею керівнички Таємного Клубу Супердівчат!

— Ми Таємний Суперклуб! Це клас! — нагадала я їй наше гасло.

— Так, так... — пробурмотіла вона. — А тепер допоможеш мені зробити транспарант?

— Гм, а нащо він тобі? — спитала я. — Якесь нове домашнє завдання?

— Пам'ятаєш транспаранти на концерті Феліції? Оті, кольорові, ми ще тоді позаздрили дівчатам, що сиділи в ряду перед нами? Зробимо такі самі для Франека!

Ага, он воно що! Усе для Франека! І навіть справи Таємного Клубу вже не такі важливі!

Що ж, я буду доброю приятелькою, яка приходить на допомогу! Тож я не писнула й словечка і відчинила шафу. За мить посеред кімнати лежав стос паперу, альбомів та маркерів.

Флора, оглянувши все це, діловито сказала:

— Не бачу тут нічого, що б годилося для транспаранта.

Намагаючись бути терплячою, я спитала:

— А з чого має бути транспарант?

Флора, примруживши очі, зиркнула на мене і повчально промовила:

— Нам потрібна якась тканина.

— Може, простирадло? — підказала я.

— Ідея супер! — Флора схвально закивала головою.

— Ну, і фломастери, якими можна писати на тканині.

— Не знаю, чи в нас такі є, — замислилась я. — Звісно! Я маю цілий набір фломастерів! Це мій занудний подарунок на день народження!

Я метнулася до шухляди і тріумфально вручила Флорі нерозпаковану коробку.

— Це подарунок від мене! — процідила Фло. — Я знала, що роблю. Дуже практичний подарунок, до речі.

Я стенула плечима, бо більше мені хотілося отримати набір «Леґо» для дівчат.

Пізно ввечері транспарант був готовий:

ТАЄМНИЙ КЛУБ СУПЕРДІВЧАТ
ВІТАЄ КРАСНОМОВНОГО ФРАНЕКА!

Оте «красномовного» — то була моя ідея. Флора спершу не згоджувалася, бо вибирала між «базікою» та «мудрагелем». Тож врешті обрала «красномовного». І добре. Треба закріплювати нові слова!

А ще вона виготовила власний транспарант. На ньому не було багато тексту. Просто:

ПРИВІТ! Ф + Ф

Це ж треба, що я цього раніше не зауважила. Адже вони, Флора і Франек, справді Ф + Ф! Може, якось це проскочило повз мене, бо взаємна симпатія цих двох давно перестала бути таємницею.

Уже стемніло, тож я позіхнула. І була дуже голодна.

— Цікаво, чи сьогодні ще буде що попоїсти? — замислилась я.

Але довго чекати не довелося. З глибини помешкання ми почули, що нас кличуть:

— Дівчата! Вечеряти!

Ми побігли туди, звідки долинав голос, гордо несучи наші транспаранти.

— А це що за творчість? — спитала пані Лаура, наминаючи канапку з огидним лососем.

— Це транспаранти! З нагоди приїзду Франека, — похвалилася Фло і розгорнула сувій тканини. А я відразу показала другий.

— Франек буде на сьомому небі від щастя! Молодці, дівчата! — плеснула в долоні Флорина мама.

А моя мама стояла, стиснувши губи, і дивно поглядала на мене.

— Юстусю! А ти не похвалиш такого гарного починання? — здивувалася пані Звєндли.

— Ідея, звичайно, чудова. Гірше, що бачу перед собою рештки мого новенького батистового простирадла. Із крамниці «Лаванда й Сини». Я його вполювала на розпродажі! — пояснювала знервована мама.

Я скулилася від страху. Мені дістанеться на горіхи!

— Не переймайся, Юстусю. Творчість вимагає жертв! — промовила пані Лаура. — У мене є запасне простирадло, таке самісіньке. Принагідно принесу його тобі. Обожнюю цю крамничку!

Мама врешті змінила гнів на милість, і ми смачно повечеряли. Нам із Флорою перепали дуже добрі сосиски.

— Яка смакота! — прицмокувала Фло.

Мама всміхнулася і доклала мені шматочок перцю.

— Ти не пам'ятаєш, що я не люблю перцю? — скривилась я.

— Напевно, ти вже знаєш, що перець зміцнює імунітет. Але якщо тобі не смакує, можеш з'їсти квашеного огірка, — промовила мама.

Коли Флора й пані Лаура зібралися йти, було вже добре по дев'ятій.

— Повертаємося до щурячої печери. І до читання Петрарки* в оригіналі! Франя тепер має вільний час, то надолужує прогалини в літературі. Звєндли об'їхав пів міста, щоб знайти для неї Петрарку.

— Може, вона читає Петрарку на твою честь? — замислилася мама. — Він написав безліч сонетів до своєї коханої на ім'я Лаура.

Пані Лаура вибухнула сміхом.

— Це ж треба: такий збіг обставин! Сонети до Лаури? Тобто ніби до мене? Ну, Флоронько, побігли! Ой, мало не забула. У театрі, де працюватиме Фабіано, щосуботи діє театральна академія для дітей. Такі собі позашкільні заняття. Лючано вже туди записаний.

---

* Франческо Петрарка (1304–1374) — італійський поет епохи Відродження. Автор славнозвісних «Сонетів до Лаури».

Я допитливо зиркнула на Флору. Невже вона мені не сказала про таку важливу річ? Але вона, немов передбачивши мою реакцію, дала мені зрозуміти на мигах, що вперше про це чує.

— І ми теж туди хочемо! — вигукнула я. — Ми хочемо ходити до театральної академії!

— Так! — підхопила Флора. — Ми маємо туди ходити!

Мама скривилася.

— Нещодавно ви ходили на уроки малювання.

— Констанція поїхала на практику, тож ми пів року вільні! — миттю відповіла я.

Пані Лаура з розумінням глянула на маму й промовила:

— Перевіримо, чи ще є вільні місця.

— Так! Будь ласочка! — закричали ми хором.

Пані Лаура силоміць витягнула Флору з нашого помешкання, а мама змусила мене піти в душ.

Мені страшенно хотілося спати, але на саму думку про те, що розслідування Таємного Клубу Супердівчат рухається вперед, я відчула себе дуже навіть бадьоро! Якщо все вдасться, то до найближчого заняття в театральній академії залишилося лише три дні! Я записала у Таємному Щоденнику новину про академію і відразу ж заснула.

Наші мами не казали нам нічого певного аж два дні! У п'ятницю після уроків ми зустрілися, щоб їхати в аеропорт. Мали зустрічати Франека й професора Каґанека. А в пані Лаури ще досі не було ніяких новин.

— Я дотепер нічого не знаю, — сказала вона. — Франя має зателефонувати.

— Та ну, мамо! Лючано мені казав, що з місцями взагалі немає жодних проблем! — обурилася Фло.

— Цікаво! Йому вдалося вистромити носа з нашої бібліотеки? — іронічно поцікавилася пані Звєндли.

— Еге ж, — підтвердила Флора. — Він часом виходить. Тільки ховається, щоб Лілія тебе не дратувала...

Пані Лаура підняла брови, ніби хотіла запротестувати, але раптом задзвонив телефон.

— Хутко, Франю! — буркнула вона у слухавку. — Ми якраз чекаємо на професора. Он як? Дівчата зрадіють! — на цих словах вона завершила розмову й повідомила:

— Вас візьмуть в академію. Але на певних умовах. Учні академії повинні мати гарні оцінки і не можуть «завалювати» школу.

— Супер! — вигукнула я на радощах.

Флора сприйняла новину з меншим ентузіазмом.

— Я спробую, — пробурмотіла вона.

Пані Лаура уважно подивилася на дочку.

— До правил академії належить також виконання домашніх завдань!

Фло неохоче закивала головою. Мабуть, мені доведеться попрацювати над її обіцянками!

У цей час завирувала юрба у залі прильотів. Люди з блискавичною швидкістю рухалися до дверей, що відчинялися автоматично.

— Ого! Приземлився! Рейс номер один!

— Що таке рейс номер один? — спитала я.

— Це літак з Америки, з Чикаґо! — відповіла пані Лаура. — Хутенько, не відставайте! Інакше натовп може вас кудись занести.

Ми кинулися за нею і від утоми аж засапалися. Ну ніяк не можу збагнути, як Флориній мамі вдається так швидко пересуватися на високенних шпильках. Це чудо!

Ми стали біля самого бар'єра, що відділяв нас від місця, де одне за одним з'являлися пасажири— у кожного була сила-силенна багажу.

Двері розчинилися. Перед нашими очима з'явилися лише валізи! Їх було штук двадцять. Із самого верху лежала знайома валізка! Багаж професора Каґанека. Раптом з-за гори валізок почувся знайомий голос:

— Дівчата з Таємного Клубу?

Це явно був Франек!

На три-чотири ми розгорнули транспарант Фло.

Пані Лаура з мамою вже віталися з професором Каґанеком.

ПРИЛІТ
ВІДЛІТ
РЕЄСТРАЦІЯ
ПРИВІТ!
Ф+Ф!
ВИХІД

— Ви помолодшали, пане професоре! Ви такий елегантний! — обидві по черзі обсипáли його компліментами.

Франек тим часом набундючено походжав перед нашими транспарантами. Він був схожий на... американський прапор!

— Чого дивуєтеся? Там можна ходити в одязі з прапора!

Ми схопили Франека в обійми. Ми ж стільки місяців не бачилися!

— Запрошуємо до нас, професоре! На привітальну вечерю! — загукала пані Лаура.

Професор показав рукою на два візочки, навантажені валізами, і промовив:

— Як тільки розвантажимо наші пожитки, відразу ж прийдемо. Не обіцяю лише, що це станеться сьогодні.

— Розумію вас, професоре. Тоді завтра — вечеря з нагоди вашого повернення. Хочемо, щоб ви нас надихнули знаннями й осяяли інтелектуальною атмосферою! Діти зранку будуть у театральній академії, тож я матиму час на підготовку відповідного меню! Так що ми домовилися, — проголосила пані Звєндли. — Тільки попереджую, що в нас буде вельми міжнародна творча компанія, — додала вона.

І розповіла професорові про пані Франю, пана Фабіано, Лючано та його щурицю Лілію. А також про те, чому вони переїхали до Польщі.

— Таємничі зникнення, — додала мама.

— Ну що ж! Вони в добрих руках! Я певен, що Таємний Клуб Супердівчат уже вийшов на слід цієї загадки! — урочисто промовив професор, а Франек просвердлив нас поглядом з-під своїх грубих скелець.

Мама грізно глянула на мене, але я ніскілечки цим не перейнялася. Врешті-решт, ми — Таємний Клуб Супердівчат!

З'ЯВЛЯЄТЬСЯ ДОРОТІ, ЛИХА ЧАКЛУНКА СХОДУ І СОЛОМ'ЯНИК

Ми нетерпляче чекали суботи. Бо саме в суботу мали стати ученицями Малої театральної академії! Я прокинулася рано-вранці й блискавично застелила ліжко. Сама приготувала все, що мені було потрібне для занять: торбинку зі змінним взуттям, пляшку води й запас батончиків. Усе, щоб якнайшвидше вирушити до театру. Навшпиньки вислизнула з кімнати. Оце буде несподіванка!

Удома панувала тиша.

Я заглянула до спальні. Постіль на ліжку була розбурхана, але мами там не було. Її не було під ліжком, у шафі та у ванній. Мені не вдалося її знайти на кухні і перед телевізором.

Я була сама. Голодна. І зовсім не знала, що робити. А за годину починалися заняття в театральній академії. Цей день міг стати вирішальним для слідства Таємного Клубу Супердівчат.

Проте вдома у мене була інша таємниця: цього суботнього ранку зникла мама!

Такого не мало статися. По-перше, діти не можуть залишатися самі вдома. А по-друге, улюблене мамине заняття суботнього ранку — це лежати в ліжку й нічого не робити.

Я вирішила зберігати спокій. Взялася неквапно готувати сніданок.

Маленький йогурт із пластівцями. Горня для молока, бо в суботу має бути какао. Але мені не можна вмикати плиту! Тож усе одно треба чекати маму.

Може, вона пішла по булочки? Але вона ніколи по них не ходить. Мені доведеться телефонувати до тата, який знову роз'їжджає по світах. А може, навіть у поліцію? Ми в школі вивчили екстрені номери, і в мене вони записані.

Але поки що я сіла за кухонний стіл і дивилася на годинник. Стрілки невблаганно наближалися до цифри дев'ять.

Коли я вже геть занепокоїлася, у дверях зашарудів ключ і до помешкання ввірвалася... Шоколадка. А за нею увійшла мама.

— Емісю! Ти вже встала! Так раненько! Сьогодні ж субота! — защебетала мама. — А я була на прогулянці з Шоколадкою. Тітка Юлія нам її доручила на вихідні.

— Ну так, мамо! Сьогодні ж субота! Ти маєш лежати в ліжку — так, як ти й любиш, — буркнула я.

— О! Чудовий початок дня! Я також тебе люблю! — почула я у відповідь.

— МАМ! О дев'ятій заняття в театральній академії! — нагадала я.

Мама схопилася за голову:

— Бути такого не може! Це вже сьогодні?

Я недовірливо покрутила головою. Дорослі... Як їм так вдається забувати про найважливіше!

У блискавичному темпі на столі з'явилися суботні смаколики: яєчня й какао. Шоколадці також дещо перепало! Я таємно від мами насипала їй трішки більше корму, ніж зазвичай. Думаю, що вона це оцінила, бо, вилизавши свою миску, лягла під столом прямісінько біля моїх ніг. Яка ж гарнюсінька ця Шоколадка!

Рівно о дев'ятій ми були під театром. Біля дверей наштовхнулися на пані Лауру і Флору.

— Жахливий час для початку занять! — промовила пані Лаура, сьорбаючи каву з картонного стаканчика.

Ми з Флорою схопилися за руки і помчали вперед коридором.

— Куди? — почула я мамин голос.

— Банально! Вперед! — крикнула я щосили.

Ось ми спинилися, задихані, перед величезними дверима. Прочинили одну стулку. Зсередини долинав радісний гамір.

Мами таки нас наздогнали. І теж устромили носи до зали.

— Творча атмосфера! — прокоментувала мама, вручивши мені торбинку з другим сніданком, поцілувала мене, схопила пані Лауру попід руку і... тільки ми їх і бачили.

— Вони явно побігли на шопінг! — промовила Фло, коли наші мами зникли.

— Не знаю. Ми заощаджуємо. Останнім часом мені не дають кишенькових грошей, — відповіла я.

Флора співчутливо зиркнула на мене:

— Не переймайся. Тато каже, що прийдуть кращі часи.

Галас у залі вщух. Ми почули хоровий спів. Двері відчинилися — і в них з'явився невисокий чоловічок, зодягнений у чорне.

— Новенькі? — спитав він.

— Так, новенькі, — відповіла Флора.

— Тоді запрошую! — він кивнув на гурт наших ровесників, дівчаток і хлопчиків, які сиділи колом.

Ми зайняли місця в колі, як нам і було сказано.

— Агов! А я вас знаю! — почулось раптом.

Флора закопилила губи.

— Ми теж тебе знаємо. Ти Лючано, який приїхав із Великого Чобота!

— А тепер я тутешній! — сказав Лючано.

До нашого кола якраз підійшов чоловік у чорному й промовив:

— Друга група! Ми переходимо до зали нагорі. Я — Чорний, другий режисер, і так мене можна називати.

— А хто перший режисер? — спитала Флора.

— Великий італійський режисер пан Фабіано Мілані якийсь там. Ви з ним познайомитеся на генеральній репетиції. Зараз він працює над іншими виставами, — повідомив пан Чорний.

Ми піднялися на другий поверх і зайняли місця за партами.

— Мала бути академія, а тут як у школі! — прошипіла Фло з ображеною міною.

Пан Чорний уважно подивився на нас.

— Новенькі! На заняттях дотримуємося тиші. Хто порушує тишу, той не приходить. Ми нікого ні до чого не змушуємо.

Я щипнула Флору під столом. Ще нас виженуть — і все слідство коту під хвіст.

— Сьогодні ви довідаєтеся, що нас чекає. А це не абищо! — промовив Чорний.

Запала тиша. Усі вичікувально дивилися на другого режисера. Той зробив кілька викрутасів, один пірует, а тоді підійшов до дошки і щось нашкрябав.

МЮЗИКЛ

— А може, шановні присутні вже знають, яку виставу ми ставимо у цьому сезоні? — спитав він раптом.

Зусібіч почулися голоси:

— Пітер Пен! Мері Поппінс! Король Лев! Русалонька!

— Ні і ще раз ні! — категорично відповів Чорний. — Оголошую, що ми ставимо «Чарівника країни Оз»*!

---

* «Дивовижний чарівник країни Оз» (1900) — дитяча повість американського письменника Лімана Френка Баума про відважну дівчинку Дороті, що разом із песиком Тото, Солом'яником, Боязливим Левом та Бляшаним Лісорубом мандрує через зачаровану країну, шукаючи дороги додому. *Імена героїв тут і далі наведені у перекладі Анатолія Сагана («Видавництво Старого Лева», 2006).*

Усі затихли.

— Та ви що? Не чули про країну Оз? — здивувався Чорний і замугикав пісеньку «Somewhere over the Rainbow»*.

Ой, я її знаю! Мій тато раз на місяць дивиться цей мюзикл на дівіді. Я й собі почала співати разом із другим режисером.

— Новенькі! Бачу, ви тямите, що й до чого. Гаразд, даю вам шанс у прослуховуваннях на сольні ролі.

Тоді тицьнув на мене пальцем і сказав:

— Ти змагатимешся за роль Дороті! Тебе як звати?

— Емілія, — пробелькотала я.

Потім він зиркнув на Флору і промовив:

— А ти — за роль Лихої Чаклунки Сходу.

— Ще чого! Я не хочу бути лихою чаклункою!

— Вона не пасує на цю роль! — втрутився Лючано.

Йому також дісталося.

— А ти, друже італійського походження, будеш Солом'яником! Маєш викластися на всі сто!

Ми затихли. Пан Чорний вів далі:

---

* «Somewhere over the Rainbow» («Десь там, над веселкою») — відома пісенька із мюзиклу «Чарівник країни Оз» (1939), яку виконує американська актриса Джуді Ґарленд, що зіграла роль Дороті.

— До хору й танцювального ансамблю записую всіх. Частина з вас також гратиме жувастиків*. Ага, домашнє завдання таке. За тиждень кожен має знати назубок всю книжку. А тепер до роботи! Починаємо розминку.

Ми зиркнули туди-сюди й побачили, що всі — і Лючано також — із запалом повторюють: «Ігдики, цигдики, цигдики де, абель, фабель, дурмане, ікі, тікі, граматікі, оц, кльоц!».

І так безперестанку.

Вибору ми не мали, тож долучилися до всіх.

За розминкою минула ціла година. Коли ми вийшли на перерву, Флора застогнала:

— Гарні театральні заняття, нічого не скажеш. Домашнє завдання — читати книжку. І вже годину бурмочемо щось про якихось цигдиків.

— То для дикції. Для постановки голосу і всяке таке, — пояснив Лючано.

Ми витріщили очі. Коли він переконався, що ми нічого, ну нічогісінько не розуміємо, повчально сказав:

— Це такі вправи на ламання язика. Для фахівців.

— Слухай, Емі, не знаю, чи я годжуся для ламання язика, — сказала Флора, похнюпившись.

---

* Народець із повісті «Дивовижний чарівник країни Оз», що жив на східних від країни Оз землях.

Я відтягнула її вбік і шикнула:

— Ми взяли на себе зобов'язання провести розслідування! Навіть якщо будуть труднощі!

— Пам'ятаю! Але де тоді Анєла й Фаустина? — обурилася Фло.

— Анєла зараз на мовному гуртку, а у Фаустини два уроки гри на арфі, — пояснила я. — Незабаром вони обидві приєднаються до нас. Слово честі керівнички Таємного Клубу Супердівчат!

— Ну добре, але попереджую, що не залишуся тут ні на хвилину довше, ніж треба. І явно не сьогодні. Бо в мене великий день: я зустрічаюся з Франеком! — коли Флора промовила ім'я «Франек», відразу ж узялася танцювати свій танець радості.

Пан Чорний, що якраз оголосив про кінець перерви, високо оцінив її викрутаси:

— Зоряний танець! Нам потрібні саме такі люди!

Флора недоброзичливо зиркнула на нього і побрела за мною й Лючано на репетицію.

У залі чулися невдоволені вигуки.

— Я би сам хотів промучитися з вами весь рік, але в угоді про це нічого не сказано, — гримнув Чорний. — Тому два місяці — і жодного дня довше! Урочиста прем'єра вже восьмого березня.

— Але ж це Міжнародний жіночий день, — зауважила Флора.

— І добре! Прекрасний час! — інструктор потер руки. — Головна героїня цього свята була відважною жіночкою!

Якраз настав слушний момент, щоби спитати про костюми й реквізит. Зрештою, ми тут саме для цього.

— Скажіть, будь ласка, а в нас будуть костюми? — поцікавилась я.

— Гарне питання! — сказав Чорний. — Але я вам на нього не зможу відповісти. Костюмами й реквізитом займається наш новий колега, який приїхав з Італії.

Ми з Флорою перезирнулися: «Часом не пан Флавіо?».

Аж тут у двері постукали. До аудиторії зайшов, кланяючись на всі боки, чоловічок із волоссям, зібраним у гульку. На ньому був оксамитовий фрак сливового кольору.

— А ось і він! Пан Флавіо — костюмер, який співпрацював із найбільшими театрами світу. Його костюми виклика́ли фурор на всіх континентах! І звертайтеся до нього «маестро», — представив колегу пан Чорний.

Костюмер ще раз вклонився, невиразно буркнув щось схоже на «джорно». Потім устромив носа до розцяцькованого мішка, що висів у нього через плече, і видобув звідти великого блокнота.

Пан Чорний пояснив:

— Зараз пан Флавіо покаже нам варіанти костюмів.

Ми обліпили костюмера з усіх боків. Тільки Лючано стояв здалеку.

— А тобі, юначе з Італії, не цікаво?

Лючано тільки стенув плечима. Костюмер відкрив блокнот і став поволі перегортати сторінки. Перед нашими очима з'явилися пречудові ескізи.

— Ось костюм Дороті! — гордо промовив пан Чорний, показавши малюнок у блокноті пана Флавіо.

Ми побачили дівчинку з каштановими кучерями, у коротенькій фіалковій спідничці, чорній шкіряній камізельці і з пов'язкою на голові.

— Але в Дороті була блакитна сукня і коси! І песик Тото! — запротестувала я.

— Так було у фільмі. А ми в Малій театральній академії ламаємо шаблони! Це буде цілком новий спектакль, — пояснив маестро.

— У-у-у-у! — загули діти.

Тільки Лючано нічого не казав і сидів тихо, наче миша в норі.

Потім пан костюмер показав нам Лиху Чаклунку Сходу та її костюм.

Чаклунка була вдягнена у довгу зелену сукню, одне око в неї було перев'язане, як у пірата, а на шиї блищало прегарне намисто. У комплект входили також золоті черевички на танкетці.

ДОРОТІ

— Оце мені подобається, — пробурмотіла Флора. — Круте у нас розслідування!

У блокноті були ще ескізи костюмів жувастиків, Боязливого Лева, Бляшаного Лісоруба, ну й, звісно, Солом'яника.

Солом'яник був зображений зовсім інакше, ніж у казках. Його костюм скидався на костюм принца, тільки замість обличчя у нього була... маківка!

Краєм ока я зиркнула на Лючано. Він скривився, але все одно не проронив ані словечка.

Пан костюмер гучно закрив свого блокнота, знову тричі вклонився й зник.

А ми повернулися до нашої розминки й нескінченно повторювали: «Ігдики, цигдики, цигдики де, абель, фабель, дурмане, ікі, тікі, граматікі, оц, кльоц!».

Потім було заняття з хореографії й вокалу, на яких ми ознайомилися з композицією спектаклю і довідалися нові подробиці щодо прослуховування на сольні ролі.

— Я б хотіла бути Чаклункою Сходу... — зітхнула Флора. — У неї такий гарний костюм!

— Не дивуйтеся, якщо костюми й реквізит за день до прем'єри зникнуть, — втрутився Лючано. — Я теж би хотів бути Солом'яником. Ну, хіба що без цієї маківки.

— Нема нічого легшого! Ти добре танцюєш і співаєш, — промовила Флора. — Маєш усі шанси.

— Ти так думаєш? — загорівся Лючано. — Але мені знову буде соромно, якщо виступатиму на прем'єрі без костюма. — І відразу додав: — Коли костюми потрапляють до рук Флавіо, не можна бути ні в чому певними. Кояться всілякі дивовижі!

Я зиркнула на Фло. Ми про це раніше не подумали. Лючано не може бути підозрюваним. І пані Франя, й пан Фабіано також. Костюмер! Можливо, це і є потрібний нам слід! Адже Флавіо має доступ до костюмів, а ще він вільно пересувається театром.

Проте я нічого не сказала, бо по нас приїхали мами. Флора з Лючано поверталися додому разом. А ми з мамою мали прийти до них сьогодні на урочисту вечерю з професором Каґанеком.

Вечеря розпочалася о сьомій.

— Справжній італійський бенкет! — вихваляв професор.

Ми наминали макарони різних форм і розмірів, политі вершковим соусом і посипані потертим пармезаном. Їли помідори черрі, збризкані оливковою олією. Але найбільшою несподіванкою був десерт. Пані Лаура, пам'ятаючи про нас, подала наше улюблене тірамісу, яке відразу ж зникло. Професор

Каґанек розповідав про те, як просуваються його наукові дослідження в Америці.

— Ця країна дає науковцям великі шанси, — ділився враженнями він. — Я там почувався як риба у воді.

Потім дорослі пішли на каву, а ми — себто Флора, Франек, Лючано і я — залишилися за столом.

Але розмова не клеїлася.

— Суперовий десерт! — почала я.

— Один шматок — це понад триста калорій, — втрутився Франек. — Я це знаю, бо підготував дієту для тата.

— Що це означає — триста калорій? — чемно спитала я.

— Це означає, що, коли з'їдаєш один шматок тірамісу, отримуєш енергії на таку кількість одиниць. Організмові людини потрібно близько двох тисяч калорій на день. Тому якщо ти з'їла кілька порцій тірамісу, то не маєш обідати й вечеряти. А ще торти не корисні, — тріумфально завершив Франек.

Лючано прислуха́вся до розмови й нарешті озвався:

— Досить побігати двадцять хвилин або тридцять п'ять хвилин потанцювати, щоб спалити шматок торта.

Франека це зачепило за живе.

— А ти звідки знаєш? Ти був на дієті?

— А мені дієти не потрібні, — відповів явно роздратований Лючано. — Сьогодні майже все можна знайти в інтернеті.

Побачивши, що Лючано, Франек і я — це вибухова суміш, Флора вирішила нас розділити.

— Здається, ви маєте нагодувати Лілію, — звернулася вона до мене з Лючано. — А то вона з голоду з'їсть нашу бібліотеку. А ми з Франеком подивимося фотки з його подорожі.

Я ПИШУ КАЗКУ І ЙДУ НА ДЕНЬ НАРОДЖЕННЯ ФАУ

Неділя минула цілком спокійно, хоч мама і нарікала, що Шоколадка не дає їй виспатися. Це правда, від самісінького ранку пес штурхав нас носом, даючи зрозуміти, що пора на прогулянку. Але нічого з того не вийшло. Маму було не розворушити. Вона загорнулася в ковдру і солодко спала. Або прикидалася, що спить.

А я тим часом встигла поробити уроки. Мала написати казку. Це було дуже гарне домашнє завдання. Тож я собі сиділа й вигадувала казку про королівну, дочку короля, що жила у великому палаці. І в її житті відбувалося багато всього приємного. Вона снідала шоколадкою, обідала шоколадним тортом. Коли я це все описувала, відчула, що добряче зголодніла, бо ж сніданку ще не було!

Тож я вирішила, що мені пощастить більше, ніж Шоколадці, і я розбуджу маму.

Тільки як?

Аж раптом мене осінило! Та ж я пишу казку! Мені треба згадати, в яких казках описано сон. Ну та ясно! Спляча красуня! Спляча красуня вколола пальчик веретеном і заснула. Її розбудив тільки поцілунок принца. Або Білосніжка! Вона з'їла яблуко, яке їй дала лиха мачуха, й провалилася в сон. І тут знову з'являється принц! Я роззирнулася довкола. У нас удома принца я не побачила. Зате була... Шоколадка!

Отож я спіймала Шоколадку, і ми подалися до спальні.

— Ти будеш принцом! — шепнула я Шоколадці на вушко.

Я стала над маминим ліжком і врочисто промовила:

— О прекрасна королівно! Та звідки ж у цьому ложі взялася така вродливиця?

Зиркнула краєм ока на маму. Вона й не ворухнулася! Ну що ж. Доведеться вдатися до іншого способу.

— Я лише вбогий зброєносець. Але ось славний принц, що готовий тебе поцілувати й пробудити з вічного сну.

Усе одно мама й не ворухнулася.

Тоді я підсунула Шоколадку ближче. Зрештою, я ж тільки зброєносець. Шоколадка довго не вагалася — висолопила язика й облизала маму, де тільки можна.

Мама підстрибнула на ліжку.

— Хай вам грець! Як же я не люблю цього язицюри! — крикнула на весь голос.

— Я лише вбогий зброєносець, — повторила я. — Пишна королівно, зі сну пробудив тебе мій принц із великим серцем!

— І з величезним язиком! — скривилася мама.

За мить глянула на нас занепокоєно.

— Голодні? — спитала.

Мабуть, вона таки зовсім прокинулася.

Я відповіла:

— Голодні! І ми ще не пісяли!

Мама виповзла з ліжка й почалапала до кухні.

— Недільні налисники! — вигукнула я.

— Омлет — це максимум! — почула у відповідь. — Налисники будуть тоді, коли повернеться тато.

Хоч-не-хоч я мусила вдовольнитися омлетом.

— Які плани на сьогодні? — спитала мама після сніданку.

Я замислилася. По суті, я мала серйозно взятися за підготовку до прослуховувань на роль Дороті з «Чарівника країни Оз». І спробувати з'єднати докупи всі лінії нашого слідства.

— Я думала, ти сьогодні йдеш на концерт Фаустини і на її день народження, — здивувалася мама.

Точно! Я би забула!

— О ні! — простогнала я. — У нас же немає подарунка.

— Вище носа! — підбадьорила мене мама. — Мені видається, що Фаустина — поціновувачка гарних книжок. А ми якраз маємо кілька цікавих варіантів. Може, Мумі-тролі?

Я згодилася на Мумі-тролів, сподіваючись, що Фау буде вдоволена.

Попросила маму зателефонувати до родини Звєндли — нагадати Флорі, що ми сьогодні йдемо на день народження.

Мама терпляче пояснювала пані Лаурі в телефон

— Ні, день народження Фаустини не в розважальному центрі. Кульок і гірок не буде. Ми йдемо на концерт до Будинку культури. А потім батьки Фау запрошують до них на торт. Ми зустрічаємося в Будинку культури, зараз перешлю адресу.

Виснажена цією розмовою, мама впала у крісло.

— А я збиралася почитати книжку... — сказала зітхнувши. — А тут ще треба йти гуляти із Шоколадкою.

Рівно опівдні ми стояли біля районного Будинку культури, де мав відбуватися концерт Фаустини

Пані Лаура довірила нам Флору й Лючано, а сама поїхала купувати продукти. Мама приєдналася до неї, бо батьки Фаустини пообіцяли, що заопікуються нами трьома.

Ми зайшли до концертної зали. Фау стояла на подіумі. Вбрана була як на бал — очей не відірвати. На ній була пишна блакитна сукенка й балетки — так само блакитні. Я підбігла до неї і вручила їй букет, який мама встигла купити зранку.

— Ти маєш суперовий вигляд, — прошепотіла я. — Як фея!

Занесли арфу. Фаустина сіла перед інструментом і затиснула його колінами. Торкнулася пальцями струн, видобувши кілька звуків. Але це вона тільки його настроювала.

Зала заповнювалася дуже поволі. Я побачила Луцека, що якраз надійшов разом зі своїм татом.

Я підбігла до них, а за мною підійшли Флора з Лючано.

Ми так би і стояли одне навпроти одного, якби Луцек, прокашлявшись, не сказав:

— Може, ти нас познайомиш?

Ой-ой-ой! Та ж Луцек із Лючано бачаться вперше у житті!

— Це Лючано з Мілана, — вичавила з себе я. — А це Луцек з нашого будинку.

Луцек вклонився і сказав:

— Луцек з будинку. Луцек Чапля.

Лючано кивнув головою, не проронивши жодного слова. Це було не дуже чемно!

Але на сцену вже піднялася Фаустинина мама і, струснувши хвилями рудого волосся, оголосила, що концерт розпочинається.

— Твір, який ви зараз почуєте, зветься «Весна». Написав його Антоніо Вівальді. Перекладення для арфи та скрипки, — і взяла до рук скрипку.

Фау вже давно сиділа за арфою, але ось тепер залунали звуки. Красиві, гармонійні і дуже радісні. Пальці Фау бігали струнами арфи, а її мама грала на скрипці. Коли скрипка починала виконувати основну мелодію, Фаустина відбивала ритм об рамку арфи. Коли не грала, наслідувала голоси птахів і свистіла у свисток.

Коли мелодія завершилася, слухачі довго аплодували Фаустині та її мамі.

— Це був спеціальний виступ до дня народження нашої дочки Фаустини, — промовила її мама. —

А тепер запрошуємо дітей на торт та розваги до нас додому.

Ми вже виходили, коли крізь натовп проштовхалася Анєла.

— Я не встигла на концерт, бо щойно лише скінчилося заняття, — пояснила вона, відсапуючись. — А ви ж знаєте моїх батьків. Заняття — це святе. Зате у мене щось є.

Анєла показала нам величезну вітальну листівку. Це справді було щось! У центрі — знак Таємного Клубу Супердівчат, а нижче — серце й напис:

МИ ЛЮБИМО ТЕБЕ, ФАУ!
Таємний Клуб Супердівчат

Анєла задоволено промовила:

— Я її сама намалювала!

Тож ми вирушили до Фаустини — Луцек, Лючано, Анєла, Флора і я. На щастя, йти було недалеко, а день видався чудовий. Світило сонце, повітря було тепліше, ніж в усі попередні морозні дні.

Фау також жила у будинку на Батарейці*, тільки з іншого боку, ніж ми з Луцеком.

Помешкання у Фау було дуже затишне. Невеличка, але дуже світла кухня справляла враження дещо

* Батарейка — район у Варшаві — *Прим. пер.*

старосвітської. Всюди висіли якісь ополоники, дощечки, а на поличці над духовкою рядком стояли слоїчки з приправами.

Ми зацікавлено зайшли до кухні й помітили налисники, що красувалися на стільниці.

— Мама готує найкращі налисники на земній кулі, — шепнула Фау.

— Тоді я їх усі з'їм! — заверещав Фелек, забігши до кухні разом із компанією хлопчаків.

— Знову цей рудий! — гримнула Фло.

Фелек вибіг, але вже за мить повернувся з котом. І зі своїм товариством.

— Ви вже познайомилися з Фіалкою? — спитав він.

Флора стенула плечима.

— Буде краще, якщо ви дасте нам провести засідання Таємного Клубу.

— От мама покаже Фаустині якийсь там клуб! — пригрозив Фелек. — Їй треба на арфі грати!

Фаустина кивнула головою.

— Фелек знайшов цього кота у нашому районі й тепер цим пишається. Але він справді має рацію: мені треба займатися.

Я ненадовго замислилася. А що, як поєднати розслідування й гру на арфі? Ми ж не можемо втратити Фау!

— Щось вигадаємо, не турбуйся, — озвалась я. — Ходімо, порадимося.

Ми всі перейшли до кімнати Фау. Луцек із Лючано подалися до Фелека. Мабуть, вони знайшли спільну мову, бо цілий час розмовляли про якісь моделі «Леґо», до яких можна приєднувати двигуни.

Коли ми залишилися самі, Флора вийняла мапу слідства. Пояснила, щó зображено на малюнку, і розповіла про нового підозрюваного — костюмера. Ми одностайно викреслили зі списку Лючано. Бо не було підстав вважати, що він якось пов'язаний із такими негідними справами.

— А звідки відомо, що костюми знову зникнуть? — запитала розважливо Анєла.

— Відомо, що нічого не відомо! — озвалася Флора. — Але важливо, щоб ми були готові до того, що таке може трапитися.

Дівчата із розумінням закивали головами.

Тоді я виклала свою ідею, як допомогти Фау залишитися в Таємному Клубі.

— Ти могла би вступити до Малої театральної академії, — намовляла її я. — У нас заняття в суботу.

— Але в мене уроки арфи, — нагадала Фау.

— Це тільки до обіду. А в нас іще три години занять. Наш режисер зрадіє, якщо на прем'єрі «Чарівника країни Оз» лунатиме арфа! — сказала я.

Фаустина замислилася.

— Ідея супер! Але не кажіть Фелекові. Він завжди радий все зіпсувати!

— Добре, не скажемо! А тепер можемо погратися! — запропонувала я.

Ми роззирнулися по кімнаті Фау. Біля однієї стіни стояло ліжко, біля другої — стелаж із книжками й письмовий стіл із лампою. Іграшок було не дуже багато. Всюди висіли фото Фау з різних концертів.

— У тебе купа фоток! — зітхнула здивовано Флора. — Виходить, ти справжня артистка! А де ж твої іграшки?

Фаустина витягнула з-під ліжка коробку, де зберігались її скарби. Ми захоплено взялися у ній порпатись. Найбільше там було фігурок коників.

— Я дуже люблю коней, — сказала Фаустина, розставивши їх у ряд. — Мрію про те, щоб колись їздити верхи. Я могла би ходити в конюшню, чистити коней, а потім мчати галопом.

Отож ми гралися тими фігурками. Фаустина доглядала коней і навіть їздила галопом.

А потім мама Фау запросила нас усіх на налисники.

Можна було вибрати солодку начинку або овочевий фарш. Хлопці з'їли налисники з овочами, а ми вибрали солодкі.

Проте мене більше цікавила вітальня, в якій ми їли налисники. Тут було як у бабусі. Посеред

кімнати стояв круглий стіл, застелений мережив-
ною серветкою, навколо нього — важкі стільц
з різьбленими бильцями. Над столом висіла лю-
стра зі скляними абажурами. Біля стіни стояв не-
величкий секретер із темного дерева з багатьма
поличками. А біля нього були розставлені старо-
винні інструменти, з яких я знала тільки скрип-
ку. У кутку красувалося піаніно, чорне й блискуче.

Я відразу до нього дібралася й зіграла гаму соль
мажор.

— Емі, як ти гарно граєш! — похвалила мене
мама Фау, принісши нам ще налисників.

Це був мій шанс! Я блискавично відповіла:

— Мама записала мене до Малої театральної ака-
демії. У нас там багато занять на інструментах.

— О! А у вашій академії є арфістка? — спитала
мама Фаустини, труснувши рудим волоссям.

— Отож-бо й воно, — відповіла я занепокоєно. —
На жаль, ні. Ми не можемо і мріяти про такі кон-
церти, як сьогодні в Будинку культури.

Тут озвалася Фаустина:

— Мамо, може, я також могла би ходити до тієї
академії?

Однак її мама категорично заперечила:

— У тебе й так надто багато занять!

Ми сумно перезирнулися, аж тут дуже доречно
озвалася Фло:

— У нас незабаром великий концерт. Ми ставимо такий мюзикл, не знаю, чи ви чули. «Чарівник країни Оз».

— Ой! Це ж мій улюблений! Я завжди хотіла бути Дороті!

Я аж трохи налякалася, бо теж сподівалася отримати роль Дороті.

— Ми готуємо цілком нову інтерпретацію, — вела далі Фло. — Арфа там звучала би чудово.

— Подумаємо! — завершила цю тему мама Фау і нарешті роздала нам по другій порції налисників.

— Ваші налисники просто фантастичні! — похвалив Лючано.

— Лючано у нашому мюзиклі буде Солом'яником, — поспішила сповістити Фло.

Мама Фаустини тільки всміхнулася і сказала, що зараз буде торт. Ніс його Фелек, а біля нього вистрибувала Фіалка. За ним ішла купа дітей, ми їх взагалі не знали. Це були Фелекові друзі й приятельки Фаустини з музичної школи. Флора прошипіла мені на вухо, що якщо торта несе Фелек — можна чекати тортової катастрофи. На щастя, торт не впав, а до того ж був смачнючий. Увесь був политий глазур'ю, і зверху був напис, викладений зі срібних та рожевих горошин: «Фаустині 8 років!». А біля напису стояла шоколадна арфа.

— Я би схрумала оту шоколадну арфу, — шепнула мені на вухо Флора, облизуючись.

І якраз у цю мить Фаустина вигукнула:

— Кому шоколадну арфу? Кому?

Тож за мить Флора вже смакувала арфу, а ми всі — пресмачний торт із начинкою з білого шоколаду й малинового мусу.

— Мама сама спекла торт! — похвалилася Фаустина.

А потім настав час подарунків. Фаустина отримувала лише чудові несподіванки. Книжка про Мумі-тролів, яку я подарувала, також її потішила.

А коли вона розкрила конверт від батьків, то просто заніміла!

— Абонемент на заняття з верхової їзди! — сповістила вона й показала всім картку, на якій був зображений кінь. — Як ви дізналися?!

Батьки багатозначно подивилися на Фелека, але той викрутився, буркнувши:

— Нічого не знаю... І взагалі — у мене купа справ, я побіг.

І справді побіг. А за ним помчали Фіалка і його команда.

— Цей кіт його обожнює, — сказала Анєла.

Відразу після того, як ми строщили свої порції торта й подивилися Фаустинині подарунки, по нас приїхали мама з пані Лаурою.

Вони також отримали по шматку пресмачного торта.

— Мушу визнати, що такого чудесного торта я ще ніколи не їла! А цей мус! Божественно! — захоплювалася пані Лаура. — А в якій цукерні можна знайти таке диво?

Мама Фаустини засміялася й відповіла:

— Тут, у нас вдома. Ми самі цей торт готували. На те, щоб збити яйця й масу, пішло два вечори.

Пані Лаура ніяк не могла надивуватися і попросила ще один шматок.

Коли ми добралися додому, виявилося, що тато вже повернувся з дороги і чекає на нас.

— Я голодний, як вовк! — промовив він.

Маму це збентежило.

— Отакої! Я не планувала сьогодні нічого готувати. Емі поїла на святі у Фаустини, я щось скубнула з Лаурою на шопінгу...

Тато скорчив зажурену міну, тож мама заглянула до холодильника.

— Придумала! Можу тобі підігріти кров'янку. А до неї буде квашений огірок! — запропонувала вона.

— Може, додай ще мою канапку — ту, що я не доїла в театральній академії, — порадила я.

Тато з апетитом наминав усе, що підкладала мама. А я розповідала йому про Малу театральну академію та постановку «Чарівника країни Оз». Про слідство не обмовилася жодним словом!

Перед сном я прочитала батькам казку, яку написала для школи. Вона звучала так:

«Колись давним-давно жила собі королівна. Звали її Гонората. Вона була дуже вродлива й худюща. Невідомо точно, в якій це ділялося країні, але це була країна, де текли молочні ріки з шоколадною глазур'ю. У тій країні був великий замок з тисячами кімнат і світлиць, що належав батькові королівни. Король влаштовував там бали й гостини. У каретах і супершвидких автомобілях приїжджали гості. Батько дуже любив королівну і тому все їй дозволяв. На сніданок вона їла шоколад, на обід — шоколадний торт, а вечеряла вона шоколадним морозивом.

Одного разу в це королівство прилетів змій. Він випив молоко, зжер глазур і весь шоколад. Але відважний лицар, якому подобалася королівна, вирішив боротися за справедливість. Він сів на коня й наздогнав змія. Відтоді змій працював на великій шоколадно-молочній фабриці й щодня на сніданок приносив королівні смаколики. А королівна й відважний лицар жили собі разом з королем довго і щасливо».

— І я там був, мед-вино пив... — додав тато.

— Тебе у цій казці взагалі не було! — заперечила я.

— То не я був королем? — спитав тато.

Проте я вже солодко спала і бачила сни про шоколадну країну. Таємному Клубові там би дуже непогано велося!

УРА-А-А! Я ОТРИМУЮ РОЛЬ ДОРОТІ

Підготовка до спектаклю була в розпалі. Щосуботи на дев'яту ранку мама відвозила мене до театру. Часом я навіть не встигала поснідати!

На ролі солістів виявилося безліч охочих. Найзапекліша боротьба точилася за Дороті й Чарівника Оза. І навіть була дівчинка, що хотіла стати песиком Тото!

Лючано пощастило, бо щось ніхто не хотів перевтілюватися у Солом'яника.

Отож Лючано дали цю роль — та й усе. Другий режисер був безжальний.

— Італійський хлопець однозначно виграв, тож отримує роль Солом'яника!

Лючано зрідка виявляв емоції, але цього разу не витримав:

— Та ясно! Я маю грати персонажа без клепки в голові! — гаркнув він.

— Маестро добре вдалося розгадати характер твого образу. Ти одягнеш на голову маківку! — відмовів пан Чорний. — Це символ, а ти просто актор. І пам'ятай, що Чарівник передав владу саме Солом'яникові!

Тоді Лючано, який досі намагався бути чемним, просто не витримав. А може, хотів показати, що йому передали владу?

Геть не зважаючи на всіх інших, начепив навушники і засвистів собі під носа мелодію пісеньки про веселку. Потім вийшов з аудиторії, не спитавши дозволу.

А коли повернувся, дівчата в один голос запищали:

— Щу-у-у-у-ур!

— Це щуриця! — спокійно пояснив Лючано. — Її звати Лілія.

Пан Чорний зацікавлено дивився на Лючано.

— Це дуже креативно, хлопче. Мені подобається! Ламаємо шаблони. Я поміркую над тим, щоб дати твоїй щуриці якусь особливу роль! А наступного разу, коли захочеш вийти, питай, чи можна. І кажи, куди зібрався. А тепер нашорош вуха! У Солом'яника є одна чудова риса, яка притаманна й тобі. Він креативний. Коли він вирушає у подорож разом із

Дороті, Боязливим Левом і Бляшаним Лісорубом, т
саме завдяки його ідеям мандрівники долають н
безпеки, що чигають на них по дорозі.

Лючано не дуже зрадів, що все так обернулос
Мабуть, розраховував, що пан режисер розлютит
ся і викине його з акторського складу!

Лілія також, здається, не була задоволена, бо ра
том дівчата її полюбили і кожна хотіла погладит

Прослуховування на роль Дороті й Чаклунки в
тривали і тривали. Треба було заспівати фрагме
пісеньки про веселку, стати на мостик і повтори
танцювальну композицію. Можна було також пок
зати щось особливе. Одна дівчинка сіла на шпа
на плечах двох хлопців. Інша десять хвилин стоя
на руках! Так принаймні вона стверджувала, хоч
як на мене, то було не довше хвилини.

— У мене шансів — нуль! — поскаржилась я Фло

— Не переймайся. Нам буде добре в хорі. Пер
вдягнемося у жувастиків. Тоді зможемо спостер
гати за цілим театром, — відповіла вона.

Я вирішила, що Флора має рацію, хоча знала, ш
ми обидві дуже-предуже хочемо отримати на
ролі!

Нарешті після всіх прослуховувань комісія ог
лосила результати.

Наш режисер сказав, що обирає одну Дороті
двох Чаклунок Сходу.

Дороті випало бути мені. А роль однієї з Чаклу-
нок дісталася Флорі!

— Ти таки не вмієш співати, — звернувся до
Флори пан Чорний. — Але мені подобається, що ти
сміллива! Б'єшся за цю роль, як левиця!

І підморгнув нам.

— Отож чаклунок буде двоє, хоч я знаю їх знач-
но більше!

Потім почав розповідати про роль Дороті, але тут
зчинився якийсь галас. Двері гучно розчахнули-
ся, і до аудиторії влетіла... Фаустина! То, виходить,
мама їй дозволила! Ура! Ще тільки Анєлу сюди —
і весь Таємний Клуб ходитиме на заняття в Малу
театральну академію.

Фаустина тягнула за собою арфу. Аудиторією про-
котився здивований гамір.

— Дівчинка з арфою... — підспівував собі під
ніс пан Чорний. — Такого ще в нашій академії не
було.

— Мама мала зателефонувати! — наїжачилася
Фау. І роззирнулась навкруги, розшукуючи знайо-
мі обличчя.

— Мама телефонувала, я знаю, що ти мала при-
йти пізніше. Я впізнав тебе, побачивши арфу, — за-
спокоїв її Чорний.

— Це наша нова учасниця вистави, Фаустина,
вона грає на арфі, — представив він Фау, а до неї

пробурмотів: — Якщо постараєшся, можеш стат
дублеркою панянки, що гратиме Дороті.

Я помахала Фау.

— Так, це я Дороті!

Незабаром гармидер ущух. Ми почали вивчат
композицію мюзиклу й окремі партії.

— Так нічого й не відомо про костюми, — ше
нула я занепокоєно Флорі.

Флора штурхнула Лючано під бік:

— Не думай, що мене цікавить твоя щуриц
Я би хотіла знати, що там чути з костюмами. Т
щось знаєш? — спитала солодкавим голосом.

— Маестро працює. Так тато сказав. Я з маест
не розмовляю, тож ми по-різному оцінюємо сит
ацію, — відповів той.

— Справді? — здивувалася Фло. — Я думала, щ
ви друзі.

— Маестро і я? Ти жартуєш? Якби не він, ми
сьогодні були в Мілані, — вибухнув Лючано.

— То тобі у нас не подобається? — спитала я.

Після цього ми довідалися, що Лючано так і н
ходить до школи. Було вже запізно, щоб його куди
узяли. І ніяких знайомих він теж не мав.

— А Луцек? На святі у Фаустини я помітила, щ
ви знайшли спільну мову, — озвалась я.

— Так, — погодився Лючано з понурою міною. –
Але у нас немає часу на зустрічі. Він цілий де

у школі, потім іде до басейну. Двічі на тиждень ходить на футбол. А я? Сиджу сам з Лілією.

Мені стало зовсім сумно. Лючано, цей жартівник, насправді був класним хлопцем. Тому він не має сидіти лише зі щурицею. Як я можу йому допомогти?

Отож я промовила перше, що спало мені на думку:

— Слухай, а ти можеш ходити до нашої школи. Наша вчителька точно згодиться.

— Справді? — зрадів Лючано. — Супер!

Тоді я подумала налякано, що все-таки це не буде аж так просто. Професорові Каґанеку ледве вдалося записати Франека до нашої школи. Пані директорка таки його взяла, але професор виразно дав зрозуміти, що це були суцільні тортури.

— Гадаю, це має залагодити пані Лаура. Вона вміє вести переговори, — невпевнено сказала я.

— Ну, вона мене не надто любить. Так само, зрештою, як і Лілію, — шепнув Лючано.

Однак Флора одразу зметикувала, що ми розмовляємо про її маму. Скривилася й пообіцяла, що вона це залагодить.

А потім відтягнула мене вбік і спитала:

— То ти вже не любиш Луцека? Тепер твоє Велике Кохання — Лючано?

Я стенула плечима. Луцек гарний, але й Лючано теж.

За кілька днів Лючано вже ходив до нашої школи (але без Лілії). Пані Лаура не любить покладатися на випадковості! Оцінок йому не ставитимуть і табеля теж не дадуть, але він зможе відвідувати всі уроки.

— Оце супер! — радів він. — Ця ваша школа мені більше подобається, ніж наша італійська. Тільки нічого встругнути не можна, бо відразу буду на килимку в пані директорки.

— О-о-о! Я би хотіла якось потрапити на килимок! — загорілася Флора.

— Не розслабляйся! На наступній репетиції нам дадуть костюми! Тато вже їх бачив. Це буде найкраща дитяча вистава у місті, — сказав Лючано. І побіг шукати Луцека, бо вони домовилися, що на великій перерві підуть на стадіон пограти у футбол.

Я відчувала сильне хвилювання. Пахне чимось цікавеньким! Ну й побачимо, як тут себе проявить Таємний Клуб Супердівчат!

Дні минали, до вистави залишилося лише два тижні. Моєю дублеркою на роль Дороті стала Фаустина.

І без боротьби не обійшлося! Пан Чорний оголосив додатковий конкурс. Фаустина вивчила роль напам'ять, а до того ж підготувала пісеньку Дороті з фіналу під акомпанемент арфи. Інші кандидатки теж чудово виступили, проте комісія вирішила, що другою Дороті буде Фау.

Пан режисер потирав руки:

— Дуже цікава у нас має бути вистава!

На репетиціях на нас уже були костюми. Ми з Фау по черзі одягали вбрання Дороті: коротеньку фіалкову спідничку, шкіряну камізельку й пов'язку, що трохи закривала чоло.

— Ви Дороті у стилі рок-н-рол! — оцінив наші костюми Лючано.

Фаустина зашарілася. Відчуваю, що Лючано їй подобається.

А на Флору чекав міцний горішок. Вона змінила свою думку про костюм Лихої Чаклунки Сходу. Тепер вона заявляла, що її костюм узагалі не пасує до історії Чарівника країни Оз. Піратська пов'язка через око — це дуже дивно, і через пов'язку їй нічого не буде видно на сцені. А ще сукня надто довга і нічого спільного із вбранням чаклунки не має.

— Я хочу бути страшнючою чаклункою! — дулася вона. — Найстрашнючішою! А не лялькою з журналу мод!

Однак нічого вона не домоглася. Вистава була новою інтерпретацією відомої історії. Тож костюми мали це підкреслювати.

Маестро крутився навколо нас, як муха в окропі, щоб підігнати костюми.

Проте до Лючано навіть не наближався. Коли ми приходили на заняття, костюм нашого італійського

друга разом із порожньою головою-маківкою вже чекав на стільці, свіжий і напрасований.

Мабуть, справді пан Флавіо і Лючано не в захваті один від одного.

— А як маестро співпрацює з твоїм татом? — спитала я одного разу.

— Маестро завжди створює костюми до татових вистав. Відколи пам'ятаю, найслабше місце програми — це костюми й реквізит. А тато не може збагнути, що це вина Флавіо, — нервувався Лючано. — Мені цікаво, що зникне цього разу! — міркував він. — Я не розсерджуся, якщо це буде моя голова-маківка!

Я стенула плечима. А маестро добре придумав з цією маківкою!

Вистава мала бути чудова! Мені все так подобалося, що я навіть забула про слідство.

Також мені сподобалася ідея, щоб Лілії дісталася роль песика Тото. За час останніх репетицій ми з нею стали друзями.

Коли я розповіла про це батькам, їхні думки розійшлися.

— Оригінальна ідея! — бадьоро вигукнув тато.

— Фу-у-у! Щур на сцені! Глядачі потікають, — мама з огидою скривилася.

— Це не щур. Це щуриця Лілія! До речі, вона ручна! — заперечила я.

Татові сподобалось, що Дороті така сучасна.

— Це свідчить про те, що історія столітньої давнини досі дуже актуальна.

Я не зовсім збагнула, що він має на увазі, тож ми ще раз подивилися фільм. Порозмовляли про те, що мені видається в ньому найважливішим.

І нарешті я зрозуміла. Дороті мріяла повернутися додому, мандрувала й долала перешкоди. А насправді цю мрію було здійснити напрочуд легко — не встигнеш оком кліпнути! Адже Дороті весь час носила срібні черевички від Глінди, Доброї Чаклунки Півдня. Ці черевички хотіла здобути Лиха Чаклунка Сходу, бо вони були незвичайні — могли переносити у будь-яке місце на світі. Тільки-но Дороті проказала вголос своє бажання, черевички одразу віднесли її назад додому. Та коли летіла, вона їх загубила.

— Дороті не потрібні були черевички, щоб повернутися додому! — вигукнула я. — Їй треба було тільки цього захотіти. І бути відважною! Але в дорозі на неї чигали небезпеки, аби вона зрозуміла, що вдома найкраще.

Мама підморгнула мені. Бо якраз вчора ми посварилися через те, що я хотіла би іншу кімнату. Щоб вона була така простора, як кімната Флори. А краще навіть більша. А коли я довідалася, що зараз скрутні часи і в нас немає грошей на нові меблі й ремонт, то образилася.

Ну добре. Я згодна з Дороті. Вдома найкраще! І взагалі — річ не в нових меблях. Моя кімната прекрасна. Я маю таємну базу і почуваю себе там пречудово.

А тепер біжу робити уроки. Мені треба намалювати малюнки до моєї казки про королівну, що їла шоколад на сніданок, обід та вечерю.

ТАЄМНИЙ ПЛАН МАЕСТРО РОЗКРИТО

Цього тижня — прем'єра нашої вистави! Це так надихає! Я щодня повторюю свою роль. Батьки ходять по дому в навушниках, бо найголовніше зараз — «Чарівник країни Оз»! А ще ми репетируємо пісеньку про веселку із Фаустиною.

Мама жартує, що приготує мені трав'яний відвар, бо я часом така нервова, як пані Лаура.

Флора примирилася зі собою та маестро. Стала Лихою Чаклункою Сходу. На виставу вона одягне зелену сукню, намисто і піратську пов'язку на око. Тільки у вокальних партіях її замінюватиме дівчинка з прегарним ангельським голосом. Ох, як вона співає!

Я гратиму разом зі щурицею Лілією, якій дісталася роль песика Тото. Пан Чорний у захваті від цієї ідеї. Мама пообіцяла цього не коментувати.

На виставу я запросила нашу вчительку. У нас більше не було квитків, а то міг би прийти весь наш клас, а може, навіть пані Фламенко і пан Огіркевич. Я пообіцяла вчительці, що наступний виступ після прем'єри відбудеться у нашій школі. Мама Фло вестиме про це перемовини з паном Чорним.

Нашій вчительці дуже сподобалася ця ідея. Вона шепнула мені на вухо, що незабаром ми будемо проводити разом значно більше часу, бо ж на канікули наш клас їде до зимового табору у гори! Пречудово, бо я обожнюю кататися на лижах.

Тим часом ми всі жили виставою «Чарівник країни Оз»!

Однак передовсім нею жив Таємний Клуб Супердівчат. Ми склали план, щоб врахувати все: якщо би щось дивне діялося на сцені чи поза сценою. Флора, Фаустина і я стежили за сценою і лаштунками. Анєла, яка з нами не виступала, мала спостерігати за глядацькою залою. На всяк випадок ми посвятили у наші плани Лючано. Луцек із Франеком, яких було запрошено на прем'єру, теж мали чіткі інструкції. Анєла отримала список і фотографії костюмів. Її завданням було контролювати, чи все йде згідно з планом.

У день вистави я прокинулася раніше, ніж зазвичай, хоча до школи не треба було йти. Нас усіх звільнили від уроків.

Я пречудово виспалася і почувалась дуже бадьоро. Ще раз повторила роль Дороті, слова пісеньки про веселку і зробила всі гігієнічні процедури. Почула, що мама порається на кухні, насвистуючи мелодію з «Чарівника». Ми добряче поснідали — була яєчня з чотирьох яєць, помідори й обов'язкове какао. О десятій ми вже були в театрі. Хоча вистава мала бути ввечері, репетиції тривали від самого ранку. І на нас чекала генеральна репетиція — найважливіша!

Лючано з Флорою прийшли відразу після нас. Пані Лаура, яка їх привезла, сказала, що має важливі новини:

— Юстусю, ти навіть уявити не можеш, що в нас учора діялося! Франя з Фабіано переїжджають у своє помешкання відразу після вистави, тож ми влаштували прощальну вечірку! Були танці, довгі балачки про мистецтво. Шкода, що без вас!

Мама чемно все це слухала.

— Був також Флавіо. Він велить звертатися до нього «маестро». Дуже елегантний і дуже тактовний. Привіз мені кошик тюльпанів, а їх узимку не так просто знайти! — розповідала Флорина мама.

— Це наш костюмер! — втрутилась я. І нишком ущипнула Флору.

— Незвичайна людина! Такий талант! Знавець моди! — не вгавала пані Лаура.

Лючано скривився, проте нічого не сказав, тільки міцніше притиснув до себе Лілію, що сиділа в нього на плечі.

Довше слухати ми не могли, бо пан Чорний забрав нас усіх до гардеробу, де можна було залишити речі.

— Я почуваюся справжньою акторкою! — замріяно промовила Флора. — Гардероб... Прожектори... Оплески!..

Проте виявилося, що не все так ідеально. Шафок було замало, і щонайменше двоє осіб мали вмістити свої речі разом.

— Не страшно! — сказала Флора. — Перешкоди треба долати!

Я здивовано зиркнула на неї. За останні кілька тижнів вона змінилася.

Наш другий режисер повів нас усіх на справжню сцену, щоб показати, як ми маємо рухатися. Досі у нас були репетиції в залі нагорі.

Ми стали парами й пішли за ним. Вийшли на сцену ззаду, там, де були великі залізні сходи. Вони були доволі круті, та ще й неосвітлені.

— Тут можна ноги поламати! — пищала якась дівчинка, якої я не могла впізнати в темряві.

— Я можу заплутатися у моїй чаклунській сукні! — нарікала Флора.

Пан Чорний пообіцяв, що ввечері, перед самою виставою, поставить тут прожектор.

А зараз ми йшли по сходах у напівтемряві. Я відчувала, що навколо дуже таємничо!

Раптом щось фиркнуло, і перед сценою прошмигнула загадкова тінь.

— Нічого страшного! — заспокоїв нас пан Чорний. — Це коти. Театр тримає їх про всяк випадок — ану ж у гардеробі чи в кімнаті для зберігання реквізиту заведуться миші!

Лючано багатозначно кашлянув і шепнув мені на вухо:

— Будь обережна! Лілія не дуже любить котів!

— Я не люблю мишей! І я! І я! — почулося з усіх боків.

— Без паніки! Повторюю: коти половили всіх мишей, — сказав роздратовано режисер. — Як тільки підіймемося на сцену, жувастики, станьте, будь ласка, у першому ряду!

Коли ми врешті видряпалися на сцену, всі жувастики, одягнені в різнокольорові костюми лісових духів, вишикувались.

— Жувастики! Композиція, будь ласка! — розпорядився пан Чорний.

Жувастики проявили себе на всі сто — відразу розбіглися по сцені.

Потім технічні працівники підімкнули солістів до мікрофонів. Кожен у цілковитій готовності, тобто в повному костюмі, мав виконати свою партію. У маестро було повно роботи, актори з усіх боків гукали про якісь проблеми з костюмами. У того порвався шнурок, ще в когось ґудзик відірвався, ще хтось нарікав, що штани затісні. Флора загубила піратську пов'язку, тож маестро нашвидкуруч виготовляв нову.

— З маестро все гаразд, — буркнула я до Флори, коли закінчилася генеральна репетиція для солістів.

Флора промовила, стенувши плечима:

— Сьогодні Таємний Клуб тут не знадобиться. Прем'єра матиме великий успіх міжнародного рівня.

— Якби ж то, — озвався Лючано. У нього настрій, здається, не був такий бадьорий. Хоча на генеральній репетиції він виступив чудово.

— Ти найкращий Солом'яник, якого я бачила, — похвалила його я.

Лючано витав думками десь далеко, але відповів:

— Сподіваюся, що режисер, себто мій тато, так само оцінить мій виступ.

До вечора лишалося ще кілька годин. Насправді репетиції тривали й далі, але частина учасників вистави могла перепочити й пообідати. Тож ми помчали до буфету, де вмолотили котлети, картоплю й салат.

— Я так об'їлася, що буду котитися по сцені, — пожартувала Фаустина.

— Я ще не бачила такої худющої дублерки Дороті. Ти могла би з'їсти всі тістечка, що є в їдальні, і все одно була б схожа на патик! — пирхнула Фло.

Потім ми пішли на екскурсію театром. Лючано знав тут кожен закуток, бо часто приходив до тата, тож обіцяв нам показати найцікавіші місця. Ми почали з кімнати, де зберігався реквізит.

— Подивимося, як тут ведеться нашим костюмам! — запропонувала я.

Зрештою, Таємний Клуб Супердівчат має бути насторожі, навіть якщо великої небезпеки немає.

Ми зупинилися під дверима з табличкою:

КОСТЮМИ Й РЕКВІЗИТ
СТОРОННІМ ВХІД СУВОРО ЗАБОРОНЕНО!

— Мабуть, нам не можна... — завагалась я.

— А я не сторонній. І був тут кілька разів із татом, — промовив Лючано й відчинив великі важкі двері.

Ми зайшли всередину. Там панувала напівтемрява. Важкий запах парфумів і порохняви добряче подіяв на наші носи, тож ми почали чхати. Лючано показав нам усе приміщення. В одній його частині на великих столах лежали готові костюми й реквізит до «Чарівника країни Оз».

Я пильно подивилась на костюми:

— Тут не всі!

— Не переймайся, ще ж ідуть репетиції. Частина костюмів досі на сцені, — заспокоїв мене Лючано.

— Ну, нехай, — буркнула я. — Але потім маємо це перевірити.

На іншому столі стояла клітка Лілії, яку під час репетицій тримали тут. Лючано підійшов до клітки, ніжно погладив щурицю, перевірив, чи свіжа у неї водичка. Кинув досередини кілька кольорових зернин.

— Це її ласощі! — пояснив нам.

Потім ми пішли вузьким коридором на склад костюмів.

Там стояла ще більша задуха. На вішалках, високо над нашими головами, висіло безліч суконь, пелерин та іншого вбрання. Лючано явно пишався усім цим.

— То костюми для татової нової вистави «Дон Кіхот з Ламанчі»!

Ми закивали головами, далі розглядаючи інші дивовижі, підготовані для цієї вистави: мечі, списи, лати.

Раптом Лючано шикнув:

— Цссс! Хтось іде! Ховаймося, бігом!

І заскочив за лати, що стояли у глибині. Я втиснулася за копицю старих часописів, що лежали неподалік.

Ми почули тихе насвистування.

Це ж наша пісенька про веселку! «Somewhere over the Rainbow»!

Мелодія наближалася до нас. І ось вона лише за крок.

Це маестро! Я затулила рота, щоб не закричати.

Він ішов до латів, за якими сховався Лючано. Невже він хоче забрати клітку з Лілією?! Щуриця металася з одного куточка в інший і пищала не своїм голосом.

«Що робити?» — гарячково роздумувала я. Але в цей час маестро вийшов у коридор. Пісенька затихла. Світло погасло.

— Ви тут? — почула я з пітьми.

Це Флора.

— Авжеж! — озвалась я. Потім озвалися Лючано з Фаустиною.

— Ходімо! — скомандував Лючано.

У цілковитому мороці ми пробралися через коридор до приміщення, де зберігалися наші костюми.

Лючано заспокоївся, коли побачив на столі клітку з Лілією, і кинувся до дверей.

Він безпорадно возився з клямкою. Двері були замкнені.

— Ну, ми попали! — вигукнув.

Але відразу побіг кудись у темряву. За мить повернувся, в руках у нього щось бряжчало.

— У мене є запасні ключі й ліхтарик!

— Можна ввімкнути світло? — попросила Фау. — Я боюся темряви!

— Вмикачі за дверима, — сказав Лючано. — Але маємо ліхтар.

Я зиркнула на Фло. Наш девіз! Це додасть нам відваги:

Не боїмося монстрів, ні почвар,
Ні привидів, ані нічних примар —
Врятуємо і друзів від біди,
Безстрашні ми у Клубі назавжди!
У нас нема хвальків, ніхто не плаче,
Бо супертовариство ми дівчаче!

Лючано засміявся й промовив:

— Гляньте! Костюмів стало більше!

Це правда. На столах з'явилося більше костюмів: тут лежали костюми Боязливого Лева, Бляшаного Лісоруба та вбрання жувастиків.

— Еге-е-е... Маестро просто приніс костюми, щоб підготувати їх до виступу. Це ж ясно, — промовила Флора.

Лючано мав іншу думку.

— Я в цьому не дуже певен! А нащо він двері замикав? Під час спектаклю вони зазвичай відімкнені! Але у нас немає часу. Треба повертатися на сцену.

Він відімкнув двері зсередини. Вистромив голову і дав нам знати, що дорога вільна.

— Чекайте! Не залишайте її тут! — гукнув він і повернувся по клітку з Лілією.

Коли ми добралися до сцени, усі вже стояли, вишикувані, готові почути останні вказівки і перевдягатися в костюми.

— Престо! Престо!* — гукав пан Флавіо, вигинаючись на сцені біля пана Чорного.

Той, побачивши нас, зморщив лоба й нагадав:

— Солом'янику! Ти мав повідомляти, куди йдеш!

Проте ми хутенько змішалися з натовпом і рушили до кімнати з реквізитом.

Першим ступав пан Флавіо, вигукуючи: «Престо! Престо!».

Коли ми підійшли до дверей, маестро зупинився і театральним жестом постукав. Почав смикати ручку. Двері не піддавалися!

Тож пан Флавіо відтягнув убік другого режисера і став щось йому пояснювати.

Тоді Лючано протиснувся крізь натовп, поставив клітку з Лілією на підлогу й дістав із кишені ключа.

---

* *Presto* (італ.) — «швидко».

Прокрутив його у замку й відчинив двері.

Фізіономія у маестро перекосилася, він просвердлив очима хлопця, потім клітку з Лілією і, ніби й нічого не сталося, зарепетував:

— Престо! Престо!

І почав видавати костюми.

Я полегшено зітхнула і шепнула до Лілії, яку стерегла:

— Молодець твій господар!

Лючано покрутив головою і сказав:

— Я вже знаю його штучки. Завжди те саме. Спершу, щоб прем'єра почалася пізніше, він вдає, що загубив ключа від кімнати з реквізитом.

Виходить, вдалося! Ми зірвали спробу маестро провалити виставу.

Усі розібрали свої костюми і розсипалися у гардеробній, щоб перевдягтися.

Вистава почалася точнісінько за розкладом. На сцені з'явився пан Фабіано Мілано й вишуканою італійською запросив усіх на прем'єру «Чарівника країни Оз» у виконанні учнів Малої театральної академії. Пані Франя, що була поруч, переклала його промову — і вибухнули гучні оплески.

Ми стежили за всім цим з-за лаштунків і готувалися до виходу.

Я трохи переймалася: чи вдасться мені образ сучасної Дороті, та ще й зі щуром замість песика Тото.

Але тільки-но я вийшла на сцену, перестала боятися. Почала з пісеньки про веселку. Поставила щурицю в кошику на підлогу й заспівала.

Раптом краєм ока побачила, що на сцену вибіг... кіт! І побіг прямісінько до Лілії!

Я не припинила співати, адже бачила, що Лілія сидить спокійно. Аж тут із другого боку вибіг ще один кіт. Бути такого не може! «Що робити?» — подумала я. У залі почали перешіптуватись. А потім усе закрутилося дуже швидко: коти стали фиркати на Лілію, а та, чіпляючись за мою спідницю, вилізла мені на плече. Проте коти не відступали, до того ж з'явився ще один.

У мене затремтів голос, і дуже захотілося плакати.

І раптом, цілком несподівано, на сцену вийшла дівчинка. Це була Анєла! Вона спокійнісінько вклонилася публіці й поклала щось на підлогу. Це щось почало ворушитися. Це ж мишка! Механічна мишка! Котам не треба було нічого пояснювати.

В одну мить вони кинулись ганятися за механічною іграшкою, яка прудко бігла по підлозі, й незабаром усі тварини, живі й іграшкові, зникли за завісою. Мені стало легше, і я доспівала пісеньку про веселку. Моя фіалкова спідниця, щоправда, втратила свій вигляд після кігтиків Лілії, але вистава тривала.

За мить на сцену вибігли жувастики й станцювали свій танець. Потім вийшли ми зі Солом'яником (Лючано в цій ролі був просто супер!), Бляшаним Лісорубом і Боязливим Левом. Бурю аплодисментів викликала Лиха Чаклунка Сходу. На завершення я ще раз заспівала пісеньку про веселку під акомпанемент арфи, на якій грала Фаустина.

Усі глядачі підвелися. Оплески не вщухали.

Пан Фабіано знову виголосив промову, а пані Франя зворушено перекладала, що вистава була напрочуд сучасна й успішна. І що в нашій країні багато чудових талановитих дітей і талановитих підлітків. Але це ще не все! На завершення, низько кланяючись глядачам, ми заспівали улюблений твір пана Чорного:

Виходь за межі! Для нас немає меж!
*Немає меж! Ламай їх, авжеж!**

Отож вистава вдалася, але на нас ще чекала нез'ясована таємниця. Пан Чорний запросив до себе Лючано, Фаустину і нас із Фло. У його кабінеті було вже двоє осіб: Анєла і маестро!

Пан Чорний сидів, склавши руки на грудях. Нарешті спитав:

— Бажано, щоб мені хтось пояснив: хто випустив на сцену котів?

Анєла показала пальцем на Флавіо.

Маестро розправив плечі, грізно зиркнувши на Анєлу. Пан Чорний спитав у неї:

— А ти хто така?

— Я належу до Таємного Клубу Супердівчат! — гордо відповіла Анєла й дістала з кишені наш знак.

— І я! — сказала я.

— І я! І я! — загукали Фло з Фаустиною.

Пан Чорний схопився за голову, а пан Флавіо відвернувся, збираючись вийти.

— Стривайте! — зупинив його Лючано. — Настала пора все з'ясувати!

---

* Фрагмент лібрето до мюзиклу Анни Новак та Мацєя Павловського «Art Factory».

І розповів нам про всілякі такі випадки під час інших прем'єр. А також відзвітував, як ми зашкодили плану маестро замкнути кімнату з реквізитом, щоб актори залишилися без костюмів.

Далі взяла слово Анєла. Ми довідалися, що вона помітила, як Флавіо приніс за лаштунки котів, і бачила, коли він їх випустив. Зрозуміла, що коти мали перелякати щурицю Лілію. Якби Лілія втекла з кошика, серед жінок та дівчаток у залі явно зчинився б переполох. Почалась би паніка, вони б стали пищати й тікати. І тоді згадала, що у Фелека завжди є при собі механічна мишка, улюблена іграшка Фіалки. Що було далі, ви вже знаєте.

— Наш чудовий Фелек, — зітхнула Фау.

— Мабуть, я вступлю до вашого клубу. Ви врятували прем'єру «Чарівника», — промовив пан Чорний і запросив нас на почастунок після вистави.

Наступного дня до нас знову завітала пані Лаура. І, звісно ж, Флора.

Мама була зайнята тим, що наводила вдома лад, тож нашу гостю зустрічав тато.

— Ти де подів Юстину? — спитала пані Лаура.

— У неї розваги з дошкою, — відповів тато.

— Ти її відправив саму на сноуборд у гори?! Бідолашна дівчина! — побивалася пані Лаура.

— Вона веселиться з прасувальною дошкою! — зареготав тато.

Пані Лаура докірливо зиркнула на нього і подалася в глибини помешкання, забубонівши: «Ох ці чоловіки!».

За мить вони з мамою обидві прийшли на кухню, бо пані Лаура мріяла про еспресо.

— Підігрієш вершки? — мама попросила тата допомогти.

— Якби в цьому домі була мікрохвильовка, можна було б відразу все розігріти, — марудив тато, але слухняно поставив кухлик з вершками на плиту.

— Мікрохвильові печі змінюють ДНК продуктів, — спокійно промовила мама.

Я здивувалася, бо ще ніколи не чула такого слова.

— ДНК? — спитала я. — Що це таке?

Тато опинився у своїй стихії, тож відразу накреслив мені якісь геометричні фігури і лінії, що їх поєднували.

— Це дезоксирибонуклеїнова кислота. У ДНК зберігається вся інформація про наш організм, — пояснював він.

Я вдала, що розумію. Це явно щось дуже важливе!

Зате пані Лаура досі не могла забути про події вчорашнього дня.

— Дивись, Юстусю, наскільки оманливою може бути зовнішність! Такий ґречний чоловік цей маестро Флавіо. Однак це він ледве не зламав театральну кар'єру Фабіано! Уяви собі, що відбувся товариський суд. Флавіо зізнався у всьому, в чому його звинувачували, а Лючано був головним свідком. На своє виправдання маестро зміг тільки сказати, що дуже хотів бути режисером вистав і не міг витримати, що це не він, а його приятель здобуває успіх за успіхом. Тому він цілий час зривав спектаклі й хотів, щоб проколів було якнайбільше!

— Лючано мав рацію! Він уже давно казав батькам, що Флавіо йому не подобається, — додала я.

— Дорослі не звертають уваги на нас, дітей! — зауважила Флора. — А ми часто маємо рацію. Бачимо все таким, яким воно є насправді.

Мама схвально подивилася на Флору й додала:

— Ти правильно сказала. Ми, дорослі, часто оцінюємо людей за їхнім виглядом та поведінкою. А правда зазвичай прихована дуже глибоко.

Пані Лаура закивала головою і змінила тему:

— За тиждень — канікули. Знову можна буде розслабитися. Сонце, свобода!

— Ясно, я буду цілими днями сидіти, втупившись у телевізор! — побивалася Флора.

— Емі їде до табору зі своїм класом, — сказала мама. — Може, ще є місця?

Пані Лаура, яка не любить покладатися на випадковості, відразу дістала телефон і попросила маму контакти нашої вчительки. Виявилося, що місця є!

— Ваша вчителька може взяти ще кілька осіб. Але слухайте уважно! Ті, що поїдуть, мають любити кататися на лижах — або принаймні хотіти навчитися. А ще вони мають бути енергійні та з почуттям гумору.

Тож ми попросили, щоб пані Лаура поговорила з батьками Лючано, Луцека й Фаустини. Може, Франек також поїде?

— Професор буде в захваті! Активний відпочинок — це якраз для нього! — вирішила пані Лаура й зателефонувала до професора.

Виявилося, що у Франека планів немає і він охоче поїде в табір разом із нашим класом. Тим паче, що він фанат лиж!

Ми з Флорою вистрибували на радощах.

— Ур-а-а-а! Таємний Клуб Супердівчат поїде на лижний табір!

Нам треба було відпочити. Підготовка до вистави й слідчі дії під час прем'єри забрали в нас море сил. На щастя, все закінчилося добре. Честь режисера спектаклю й саму прем'єру було врятовано. І зусилля, що пішли на підготовку мюзиклу, не були витрачені даремно. Тож я згадала улюблений твір нашого вчителя з Малої театральної академії: «Для нас немає меж!».

ЗМІСТ

Літературно-художнє видання

Агнєшка Мєлех

Для молодшого шкільного віку

Ілюстрації *Магдалени Бабінської*

Переклад з польської *Дзвінки Матіяш*

Головна редакторка *Мар'яна Савка*
Відповідальна редакторка *Анастасія Єфремова*
Літературна редакторка *Марія Дзеса-Думанська*
Художній редактор *Назар Гайдучик*
Макетування *Андрій Бочко*
Коректорка *Анастасія Єфремова*

Підписано до друку 27.07.2020. Формат 84×108/32
Гарнітура «Merriweather». Друк офсетний
Умовн. друк. арк. 9,24. Наклад 3000 прим. Зам. № 522/07

Свідоцтво про внесення до Державного реєстру видавців
ДК № 4708 від 09.04.2014 р.

Адреса для листування:
а/с 879, м. Львів, 79008

Книжки «Видавництва Старого Лева»
Ви можете замовити на сайті *starylev.com.ua*
0(800) 501 508 spilnota@starlev.com.ua

Партнер видавництва

Надруковано у ПП «Юнісофт»
61036, м.Харків, вул. Морозова, 13 б
www.unisoft.ua
Свідоцтво ДК №5747 від 06.11.2017 р.

UNISOFT

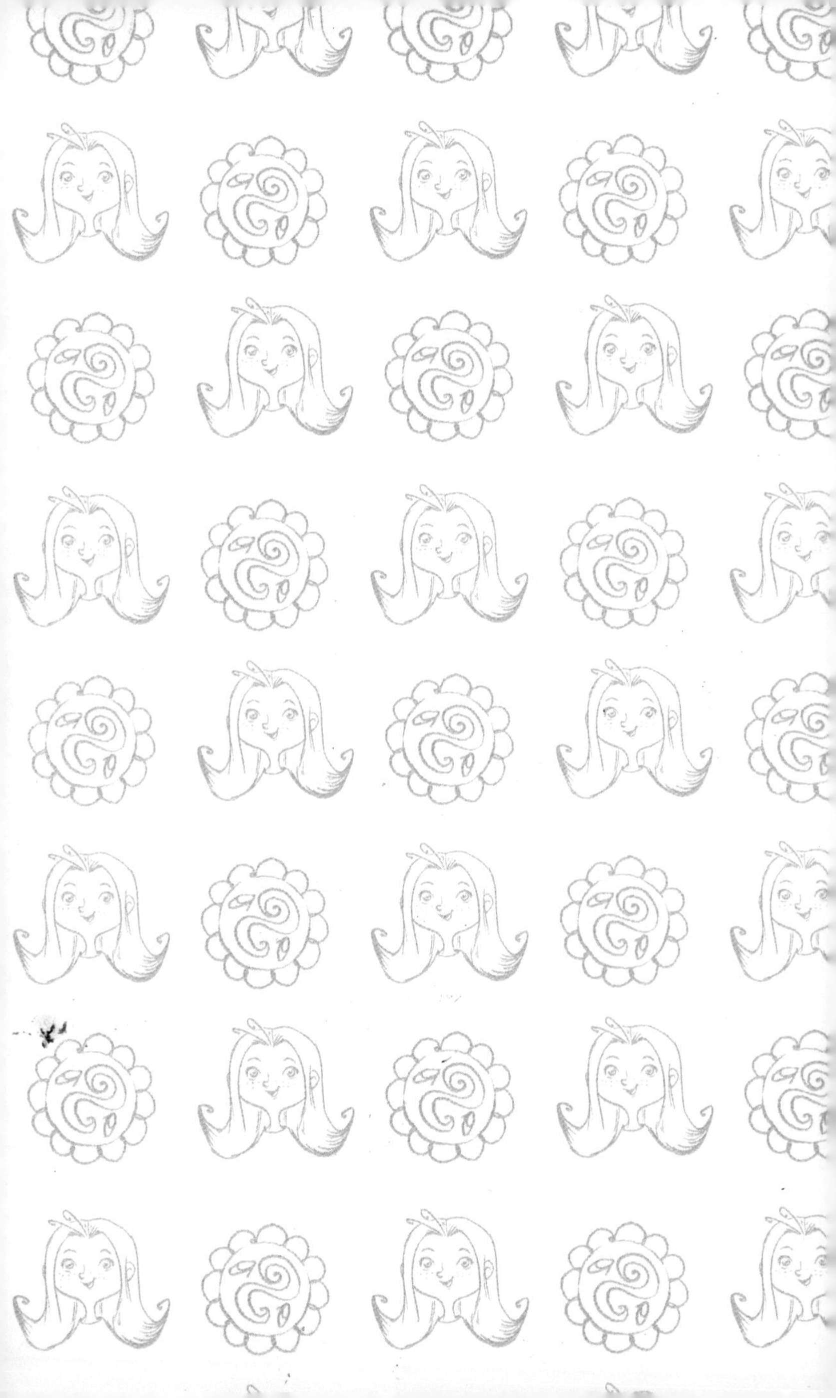